OHSAMA BUNKO

いつか絶対行きたい 世界遺産ベスト100

小林克己

三笠書房

はじめに

「生きる楽しみ」を教えてくれる、世界遺産への旅！

この地球には、八〇〇を超える「宝物」がある。

息をのむほど美しい壮麗な建築物、胸に迫るほどスケールが大きい自然の造形、何百年、何千年という悠久の歴史を感じさせる文化の痕跡……生きているうちに一度は見ておかなければ「人生を損した」とさえ思わされてしまうもの。それが世界遺産だ。

この「地球の宝物」は「世界を代表する」限られた文化や自然でありながら、その数は意外と多く、まだまだ私たちが知らない「見どころ」にあふれている。

世界遺産の登録数は八五一か所（二〇〇八年一月現在）。しかも、毎年二〇～三〇か所増加するので、ヒマとお金があり余るほどあっても、すべてを見て回ることは不可能に近い。どうしても行きたい場所をしぼり、一生の間に一つでも多くの世界遺産を訪れるといったことくらいしかできないだろう。

ただ、なにしろすべてが「美しさ」「歴史」「スケール」などにおいて突出したもの。行き先を決めるだけで迷いに迷ってしまう人もいるだろう。

そのような人のためにうってつけの、「地球の見どころガイド」の役割を果たすのが本書なのである。

学術的価値よりも、「見て感動する」「行って驚く」ことを最優先して、究極の世界遺産一〇〇か所を厳選して紹介している。半分はよく名前を知られている〝正統派〟、半分は知る人ぞ知る〝穴場〟である。

そもそも世界遺産には三種類あることをご存じだろうか。文化、自然、複合の三つだ。「文化遺産」は記念工作物、建造物、遺跡など、「自然遺産」は地形や生物、景色など、「複合遺産」は自然・文化の両方の要素を兼ねた遺産のことである。

本書は、文化・自然・複合遺産のベストを選んで紹介した「決定版」なのだ。

さらに本書では、私の海外取材延べ日数六年間（国内は延べ五年間）という生身の経験をフル活用して、「世界遺産の巡りやすさ」も重視して紹介している。

まず、日本をはじめ韓国、中国、東南アジア、オセアニア、ヨーロッパ、北米など、比較的行きやすいところから多くをセレクト。また、ウィーンの「歴史地区」と「シェーンブルン宮殿と庭園」など、一方が先に登録されたために、同じ都市にありながら世界遺産としては二〜三か所に分かれてしまっているところは、まとめて一項目で紹介した。

パラパラとページをめくっていけば、西回りに世界一周！　一冊七〇〇円弱で味わえる、地球のいいとこどりをした〝世界一周の旅〟というわけだ。

読みながら気に入った場所があれば、ぜひともその世界遺産を実際に体感しに行ってほしい。まずは日本の世界遺産から出発するのもいいだろう。

たとえすぐには行くことができなくても、その「存在」を知っているのと、いないのとでは、まったく違う。

自分がこうして普通に生活している間にも、どこかに世界遺産があると思いをはせるだけで、心のエネルギーになるはずだ。

海外旅行地理博士　小林　克己

◎もくじ

1 アジア・オセアニア

2 中央アジア・中東・アフリカ

3 ヨーロッパ

4 南北アメリカ

本文中で太字表記しているものは、世界遺産登録物件。

1 アジア・オセアニア

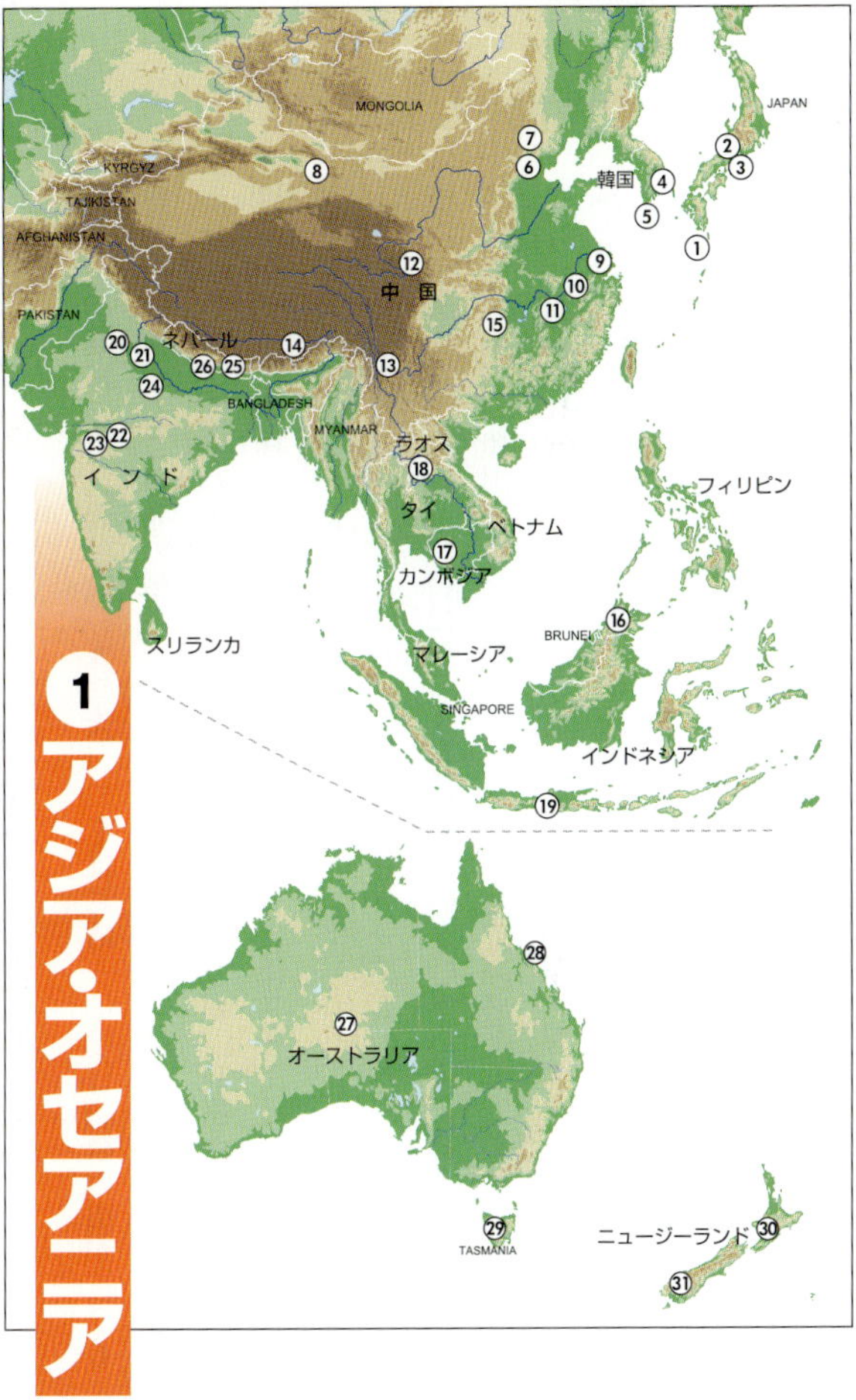
MONGOLIA
JAPAN
KYRGYZ
TAJIKISTAN
AFGHANISTAN
韓国
中国
PAKISTAN
ネパール
BANGLADESH
MYANMAR
ラオス
インド
フィリピン
タイ
ベトナム
カンボジア
スリランカ
BRUNEI
マレーシア
SINGAPORE
インドネシア
オーストラリア
TASMANIA
ニュージーランド

1 日本（鹿児島）自然

屋久島

樹齢数千年のスギが林立する「海上アルプス」

交　通　鹿児島から空路40分、ジェットフォイル1時間45分
登録名　Yakushima

九州最高峰の宮之浦岳《みやのうらだけ》（一九三六メートル）をはじめ一〇〇〇メートル級の山が三〇も聳《そび》え、峰々がのこぎりの歯のように連なる屋久島は洋上から眺めると壮観だ。海岸にはバナナやパイナップルが実る亜熱帯の島だが、高度が高まるにつれ、温帯林や亜寒帯林が分布、冬は雪も降る。晩春にはスキーと海水浴が同時にできる驚異と神秘の島だ。

「ひと月に三五日降る」といわれるほどの日本一、二の多雨地が育てたのが、標高一〇〇〇～一五〇〇メートルに分布する樹齢一〇〇〇年以上の屋久杉。

宮之浦岳への登山道をたどると、ズングリしてコブだらけの怪物のようなスギが目の前に立ちふさがる。ここからは巨大な屋久杉のオンパレード。なかでも根回り三三メートルの切り株で中に畳を一〇畳も敷けるウイルソン株や根回り四三メートルある大王杉、縄文時代から生き続けている縄文杉が圧巻。

ヤクザサが茂る宮之浦岳の山頂付近はなだらかで、五～六月には赤白の華麗なヤクシマ・シャクナゲが咲き乱れる。花崗岩の岩肌からは泉が湧き出しているほど水の豊かな島である。下山は美しい高層湿原の花之江河《はなのえごう》も楽しみ。

大王杉と並ぶ屋久杉の王様、縄文杉

ヤクシマ・シャクナゲと九州最高峰の宮之浦岳

『もののけ姫』の舞台、白谷雲水峡にも寄りたい（世界遺産区域外）

一週間でも見切れない、世界中が憧れる古建築の聖地

七九四年に都が移されて以来、一〇〇〇年間も日本の首都でありつづけた世界でも稀有《けう》の古都。

その悠久の歴史と伝統、文化、中世から奇跡的に残る古建築群……外国人も憧れる世界を代表する古都だけに、国宝・重文の建築物は一週間でも見切れないほど多いが、うち一七の社寺と城が世界遺産に登録されている。

四月の桜、一一月の紅葉の頃が訪れる絶好の季節だが、平安絵巻が見られる五月一五日の葵祭《あおいまつり》に行くと最高だ。

京都御所から始まる、まるで平安時代のファッションショーのような優雅な行列は、檜皮葺《ひわだぶき》の本殿に平安時代の面影を残す賀茂御祖《かもみおや》（下鴨）神社を経て、京都最古の神社の一つ賀茂別雷《わけいかづち》（上賀茂）神社に着く。ともに世界遺産なので見物がてらここで待つのもいい。

京都駅前の（西）本願寺は華麗な桃山文化を伝える文化財の宝庫。駅八条口から歩ける教王護国寺《きょうおうごこくじ》（東寺）は羅城門脇にあった平安京の貴重な遺構で、日本最高、最大の五重の塔で有名だ。洛中の二条城は徳川家の城で、豪華な

2 日本（京都、宇治、大津）文化

古都京都の文化財

交　通　京都駅からバスか JR や私鉄電車、地下鉄で10分～1時間ほど
登録名　Historic Monuments of Ancient Kyoto (Kyoto,Uji and Otsu Cities)

下鴨神社に向かう葵祭の行列の華、牛車に引かれる斎王代

現存する日本最古の宇治上神社

二の丸御殿や本丸御殿、唐門も見逃せない。

洛東・東山の清水寺《きよみずでら》は懸崖《けんがい》造の清水の舞台からの眺めが圧巻だ。慈照寺《じしょうじ》（銀閣寺）は足利義政が建てた簡素な書院造の寺。

洛西には、足利義満が建てたオール金箔張りの鹿苑寺《ろくおんじ》（金閣寺）、枯山水《かれさんすい》の石庭で有名な龍安寺《りょうあんじ》、〝御室御所《おむろごしょ》〟と呼ばれ、御所から移した金堂や御影堂《みえいどう》がある仁和寺《にんなじ》、京都五山の一つ天龍寺、絨毯《じゅうたん》を敷き詰めたような苔《こけ》の美しさから〝苔寺〟とも呼ばれる西芳寺、三《さん》尾《び》（栂尾《とがのお》、槇尾《まきのお》、高雄《たかお》）の一つで、カエデのトンネルが続く栂尾の高山寺がある。

洛北の延暦寺は大津市との境の、標高八四八メートルの比叡山山上に堂塔伽藍《どうとうがらん》が散在する天台宗の総本山である。

洛南には桜の名所で、桃山文化を今に残す醍醐寺《だいごじ》、阿字池に影を映す鳳凰堂の姿が浄土を表わしている宇治の平等院がある。平等院とは宇治川を隔てた対岸にある宇治上《うじかみ》神社は京都通でもあまり訪れたことがない世界遺産の穴場だ。

本殿は一間社流《いっけんしゃながれ》造の三棟の小社を一列に並べ、美しい曲線を描く檜皮葺屋根の覆屋《おおいや》で覆っている。

左右の社の蟇股《かえるまた》の形式などから平安後期に建立されたものとわかり、現存する日本最古の神社建築である。拝殿は鎌倉初期の寝殿造である。

そこにいるだけで、一三〇〇年前の〝風〟が感じられる場所

3　日本（奈良・大和路）文化

古都奈良の文化財、法隆寺地域の仏教建造物群

交　通　JR奈良線奈良駅、近鉄奈良駅下車。世界遺産ぐるっとバス利用
登録名　Historic Monuments of Ancient Nara/Buddhist Monuments in the Horyu-ji Area

「あをによし、寧楽（なら）の京師（みやこ）は咲く花の薫《にお》ふがごとく今盛りなり」と万葉集に詠《よ》まれた奈良・平城京。唐の都長安を参考に格子状の道を造り、宮殿、寺社を建設した日本最初の計画都市である。

ＪＲ、近鉄の奈良駅前から、三〇分～一時間ごとに出る乗り捨て式の「世界遺産ぐるっとバス」で回ると一日で見物できて便利。

最初の下車地は猿沢の池に優美な五重の塔を映す興福寺。国宝館の阿《あ》修羅《しゅら》像は眉をひそめ憂いを帯びた表情で、じっと前を見つめる美少年だ。

朱塗りの春日大社回廊

奈良公園の中に建つ東大寺の大仏殿は世界最大の木造建築物。何千もの石灯籠《どうろう》が林立し、朱塗りの回廊の軒に下がる無数の釣《つり》灯籠が印象的な春日大社、その背後に広がる春日山原始林、我が国最古の飛鳥《あすか》寺を移建した元興寺《がんこうじ》に寄り、西の京へ。

薬師寺の東塔は日本美術研究家・フェノロサが〝凍れる音楽〟と評しているが、六八〇年の創建当時からの唯一の遺構だ。鑑真和上像で名高い唐招提寺《とうしょうだいじ》は天平時代の建築美が溢れる。朱雀門《すざくもん》が復元された平城京跡を最後にバスは駅にもどる。

聖徳太子ゆかりの斑鳩《いかるが》には、別の世界遺産として登録された「法隆寺地域の仏教建築物群」がある。

夢殿《ゆめどの》で名高い法隆寺の金堂、五重の塔などは世界最古の木造建築物だ。すぐ隣りにある弥勒《みろく》菩薩《ぼさつ》の中宮寺《ちゅうぐうじ》や、法起寺《ほうきじ》、法輪《ほうりん》寺《じ》も必見である。

日本最古の木造建築の法隆寺五重の塔

鑑真和上ゆかりの唐招提寺

薬師寺東塔は六層に見えるが三重塔

聖徳太子の遺徳を偲んで建てられた夢殿

4 韓国（慶尚北道）文化

慶州歴史地域、石窟庵と仏国寺

交　通　ソウルからKTXで東大邱まで1時間30分、さらに在来線で1時間
登録名　Gyeongju Historic Areas/Seokguram Grotto and Bulguksa Temple

新羅一〇〇〇年の都はまさに〝屋根のない博物館〟

紀元前五七年から九三五年まで、新羅《しらぎ》一〇〇〇年の都として繁栄した慶州《キョンジュ》は、日本でいえば京都にあたるが、緑が豊かで田舎ムードが漂い、むしろ奈良、大和路に感じが似ている。

古墳や遺跡が田園や山あいに散在し、〝屋根のない博物館〟と呼ばれている。郊外はポプラ並木が続き、北海道を思わせる。市街や郊外に散在する新羅時代の遺跡が「慶州歴史地域」として、大陵苑《テルンウオン》、月城、皇龍寺跡、山城、南山の五地区の五二の文化財が世界遺産に登録されている。

大陵苑（古墳公園）は町のど真ん中にあり、天馬塚《てんまづか》などお椀を伏せたような丸い古墳が二〇余り散在している。慶州はまるで古墳群の中に町があるようなユニークな都市である。空から眺めると、この感じがよくわかる。

東洋最古の天文台・瞻星台《チョムソンデ》や天然の氷貯蔵室・石氷庫、三国統一に活躍した武烈王陵、韓国最古の石塔が立つ芬皇寺《プンファンサ》、韓国最古の三体石仏、それぞれ四つの方向を向く不思議な四面石仏、山中に五五の寺跡、五九体の石仏、三八基の石塔が残る南山石仏群、その他半月城、鶏林、雁鴨池、鮑石亭、皇龍

お椀を伏せたような古墳が多い大陵苑

慶州通好みの南山石仏群

寺、掛陵、明活山城など……新羅文化の宝庫・慶州には韓国の歴史が凝縮している。

南郊外の「石窟庵と仏国寺」は別の世界遺産として登録されている。

仏国寺は慶州郊外の斜面に、新羅時代の八世紀に建造された寺院である。まるで城のように石垣が積まれた堂々たる外観で、俗世と仏土を結ぶかけ橋である、二段構えの石橋が境内へと続く。

大雄殿（本殿）前に立つ、三重の塔の多宝塔は方形の基壇が軽妙な上層部を支える三重の塔で、花崗岩製なのにまるで木造建築のように精巧な手法で造られている。新羅石造芸術の傑作である。

もう一つの釈迦塔は、この塔を手がけた石工師の妻が夫を待ち焦がれて池に身を投げたとい

触るとへこみそうな新羅仏教芸術の傑作、石窟庵如来像

う悲しい伝説が残る。

近くの吐含山《トハムサン》中にある石窟庵は、新羅の秀でた工芸技術を示す石造のドーム形天井の石窟寺院。純白の花崗岩で造られた高さ三・三メートルの如来像は端正で崇高さに満ち、柔和な表情に安らぎを覚える新羅仏教芸術の傑作。

特にふくらみのある曲線がすばらしく、触るとへこみそうなほど弾力が感じられる。昔はじかに触れることもできたという。

敦煌《とんこう》やボロブドゥル、アジャンタ、エローラと並ぶ仏教遺跡の白眉である。慶州は日本から最も近く気軽に行ける世界遺産である。

韓国最高峰の漢拏山が聳える楕円形の火山島

5 韓国（済州道）自然

済州火山島と溶岩洞窟

交　通　済州市から漢拏山登山口までバス40分、オリモク下車徒歩2時間30分
登録名　Jeju Volcanic Island and Lava Tubes

済州島は朝鮮半島西南端から一四〇キロの洋上に浮かぶ楕円形をした周囲二九〇キロの火山島。大阪府や香川県ほどもある韓国最大の島で、標高一九五〇メートルの、韓国最高峰の漢拏《ハルラ》山が中央に聳《そび》える。

海岸線は溶岩が波に浸食された奇岩怪石の連続で、東北部は世界有数の溶岩洞窟地帯になっている。島全体が巨大な噴火口ともいえる。

島のどこからも見える漢拏山は標高に従い、亜熱帯、温帯、寒帯の二七〇〇種もの動植物が生息する自然の宝庫。山頂には、一年中水が枯れ

初夏はツツジに彩られる漢拏山中腹

世界最長の溶岩洞窟の万丈窟

サングンプリ噴火口（世界遺産区域外）

冬は雪に覆われる漢拏山と茶畑

ることのない火山湖の白鹿潭《バグロッグタン》がたたずむ。

春はツツジ、夏は新緑、秋は紅葉、冬は雪景色と四季折々の美しさを見せる。

島東端の海岸にある標高一八二メートルの城山日出峰は島に三六〇もある側火山（寄生火山）の一つで、石段を二〇分で登れる頂上は真ん丸いすり鉢状の噴火口で、広大な草原となっている。その縁はギザギザに切り立っている。ワイキキのダイヤモンドヘッドそっくりな地形だ。

島東北部には迷路のようなペンディ窟、金寧窟、龍泉窟、タンチョムル窟などの拒文岳《コムンオルム》洞窟群が連なる。

中でも万丈窟は長さ一三・四キロの世界最長の溶岩洞窟で、溶岩が地下を一気に流れてできたといわれている。

漢拏山山頂噴火口は白鹿潭という湖になっている

済州島のダイヤモンドヘッド、城山日出峰は簡単に登れる

観光客も知らない北京都心の〝秘境〟をめぐる

6 中国（北京市、瀋陽市）文化

北京と瀋陽の明・清朝の皇宮群

交　通　地下鉄1号線天安門東、天安門西駅下車徒歩10分
登録名　Imperial Palaces of the Ming and Qing Dynasties in Beijing and Shenyang

故宮は明《みん》・清《しん》二四代の皇帝が五〇〇年余り居住した宮殿で、幅五二メートルの堀と高さ一〇メートル、周囲三キロの紅殻《べんがら》色の厚い城壁に囲まれている。東西七五〇メートル、南北九六〇メートル、面積七二万平方メートル（京都御所の七倍）と広大である。建坪は延べ一六万平方メートル、大小七〇〇〇余の殿閣には九〇〇〇以上の部屋があり、現存する世界最大の宮殿建築である。

明・清代の皇城、紫禁城《しきんじょう》の正門であった天安門をくぐり、七分ほど歩いてようやく故宮の入口、午門に着く。右折すると故宮を取り巻く筒子河《とうこが》という幅五二メートルの堀に出る。美しいお堀で、面する建物も古色蒼然とした、観光客の知らぬ北京都心の秘境である。角楼を経て東華門まで往復しよう。

故宮の南半分は皇帝が儀式、行事を行なった〝外朝〟で、中心に、黄色い瑠璃瓦屋根と白大理石の欄干が圧巻の太和殿《だいわでん》が立つ。

北半分は〝内廷〟で皇帝の政務を兼ねた生活の場である。宦官《かんがん》以外は男子禁制の後宮で、俗に〝後宮の美女三千〟といわれていた。皇妃が西太后により手足を切られて落とされた「珍妃《ちんぴ》の井戸」や九龍壁、珍宝館も見もの。外

景山公園からは眼下に故宮の数百棟の甍が広がる

映画『ラストエンペラー』にも出てくる長い紅殻色の塀

朝、内廷は〝朝廷〟の由来になっている。どちらも映画『ラストエンペラー』の舞台として興味深い。故宮北側の景山《けいざん》公園からは眼下に故宮の数百棟の黄金色の甍《いらか》が一望できる。

東北地方最大の都市、瀋陽《しんよう》の故宮は清朝初代皇帝太祖ヌルハチが創建した満、漢、蒙三民族の文化を融合した、北京故宮の十分の一の規模のミニ故宮だ。

北京には他に中国に現存する最大の祭壇建築物の天壇が「天壇、北京の皇帝の廟壇」、金代からの夏の離宮跡の頤和園《いわえん》が「北京の皇帝の庭園」として世界遺産に登録されている。

明の十三陵など「明・清代の皇帝陵墓」や「万里の長城」の一部である八達嶺《はったつれい》長城、「周口店の北京原人遺跡」も北京にある。

天安門楼上からの天安門広場の全景。右は人民大会堂

故宮の正門、天安門

太和門をくぐると正面に太和殿が

水色の中国3大九龍壁の一つがある

故宮の四隅に聳える角楼。下は堀

頤和園の広大な昆明湖と排雲閣

昆明湖に浮かぶ大理石製の石舫

青がひときわ美しい天壇の祈念殿

7

中国（河北省～甘粛省）文化

万里の長城

交　通　北京・徳勝門から路線バスで１時間30分八達嶺下車
登録名　The Great Wall

月からも見える！　六〇〇〇キロ続く地上最大の建造物

渤海湾の山海関からシルクロード、ゴビ砂漠の嘉峪関《かよくかん》まで、約六〇〇〇キロも続く城壁で、月から見える唯一の建造物といわれるほど壮大。六〇〇〇キロなのになぜ〝万里〟かと疑問に思うが、中国の一里は五七六メートルで一万里強になる。それで万里の長城と呼ばれるとする説がある。

春秋時代に斉など七つの国ごとに築かれた城壁を、中国を統一した秦の始皇帝が修復、つなぎ合わせた。これは匈奴《きょうど》と呼ばれた異民族の侵入を防ぐためで、数百万人の農民や奴隷が動員された。漢の武帝ら歴代王朝も長城を強化、延長し、現在の長城は明代にできたものである。

観光には北京北郊七〇キロの八達嶺《はったつれい》長城が便利だ。標高一〇〇〇メートルにあり、高さ七～八メートルの城壁が燕山《えんざん》山脈の稜線に沿って、まるで蛇のように尾根をうねり、はいまわって延々と続いている。城壁の上の甬道《ようどう》は馬が五頭並んで歩けるほど広い。花崗岩と焼きレンガで造られ、望楼や烽火《ほうか》台《だい》が各所に設けられている。司馬台長城はさらに起伏が激しく雄大。西端の嘉峪関では、一見土手のようで頼りなげな長城が砂漠に消えていく光景が見られる。

八達嶺駅ホームからも長城が見える　　望楼からの蛇のようにうねる長城

西の端、嘉峪関内城からの外城城壁と砂漠に消える長城

足腰に自信のない人はロープウェーでも登れる

比較的ラクに登れる八達嶺長城の女坂。

八〇〇年も封印されていた世界一の石窟美術

8 中国(甘粛省) 文化

莫高窟

交通 敦煌駅下車または柳園駅からバス2時間敦煌下車さらにバスで30分
登録名 Mogao Caves

敦煌《とんこう》近郊に広がる砂漠、鳴砂山《めいさざん》東麓の断崖を開窟した長さ一六〇〇《メートル》、高さ五〇《メートル》の三～四層の壮大な石窟群。修行僧たちは四～十三世紀の長きにわたり、インド式の石窟寺院を造営し続けた。造営は唐の時代に最高潮に達し、〝千仏洞〟とも呼ばれるようになった。西夏が侵入した時、仏典や仏像、仏画を守るため、石窟は塗り隠され、そのまま八〇〇年間も封印される。

一九〇〇年に偶然発見され、四九二窟が発掘された。出土したのは〝敦煌文書〟といわれる貴重な経文、古写本で、石窟に描かれた総面積四・五万平方《メートル》もの彩色壁画と二四〇〇体もの彩色塑像《そぞう》も、時を超えて復活した。規模、内容とも世界一の石窟芸術とされる。

壁画は並べると三〇《キロ》に及び、仏像や釈迦の本生譚《ほんじょうたん》、胡旋舞《こせんぶ》、西域人が描かれ、天井には飛天《ひてん》が。塑像は、唐代の仏像と菩薩像が造形芸術の白眉といわれている。初期のものはまだインド芸術の影響が濃く表われているが、隋代になると顔や身体つきも中国人らしくなり、唐代に芸術はクライマックスを迎える。

〝莫高窟の二大美人〟といわれる、腰をひねり、なまめかしい白い肌をした菩薩像（四五窟）や、寵内菩薩像（五七窟）、敦煌のシンボル〝反弾琵琶伎楽天〟の壁画（一一二窟）、静かに微笑む色白で少女のような面持ちの菩薩像（一五九窟）、交脚弥勒仏（二七五窟）、西魏代の飛天（二八五窟）など、表現豊かな壁画と塑像のオンパレードだ。内部は明かりがないので懐中電灯が必要（貸し出しあり）。

人気のある石窟はたいてい別料金が必要で、一つ一五〇〇～七五〇〇円！　いいものを全部見たければ相当な散財を覚悟しなくてはならない。でも、サイフは軽くなるが精神は充実するに違いない。

観光には敦煌発のツアーバスが便利だが、ゆっくり見るならタクシーを利用したい。

96窟　北大仏殿の7層楼閣

320窟　飛天

329窟　馬に乗った釈迦出城の壁画

159窟　少女のような菩薩像

112窟　反弾琵琶伎楽天

地上の極楽の異名をとる〝東洋のヴェネツィア〟

9 中国(江蘇省) 文化

蘇州古典園林

交　通　上海から高速列車和諧号で40分、バスは1時間30分
登録名　Classical Gardens of Suzhou

春秋時代に呉王が築いた二五〇〇年の歴史を持つ蘇州《そしゅう》は、運河や水路が網の目のように張り巡らされた〝東洋のヴェネツィア〟。庭園も二〇〇近くあり、「天に極楽あれば地に蘇州杭州あり」と讃えられる。色白の蘇州美人をめとり、名園のある邸宅に住むことこそが至福とされた。

〝江南の名園の冠〟と称される拙政園《せっせいえん》は、敷地の六割を池が占め、朱塗りの楼閣や太湖石の築山が水面に映える。留園《りゅうえん》は〝花窓〟と呼ばれる、模様の異なる透《す》かし窓が続く七〇〇《メートル》の長廊が名高い。廊壁には名書家の墨跡石刻の「留園法帖」がある。この二つの庭園は北京の頤和園《いわえん》、承徳《しょうとく》の避暑山荘とともに中国四大名園にもなっている。四大名園は全部世界遺産に登録されている。網師園《もうしえん》は、鏡のような池の水際に亭が向かい合って立つ蘇州最小の庭園。夜は蘇州の古典芸能が催される。

さらには市内の獅子林《ししりん》、滄浪亭《そうろうてい》、環秀山荘《かんしゅうさんそう》、耦園《ぐうえん》、藝圃《げいほ》の五庭園と、水路と住居が渾然一体となった水郷の町・同里《どうり》にある楼閣や、回廊が池をとり巻くように立つ退思園《たいしえん》も世界遺産に登録されている。

留園の花窓の借景

名書家の墨蹟石刻が並ぶ留園法帖（留園）

拙政園の澄観楼

蘇州最小の庭園網師園

獅子林の至るところに太湖石が

花窓が美しい蘇州最古の庭園滄浪亭

新民橋からの水郷風景（蘇州）

唯一蘇州近郊にある同里の退思園

穴場の世界遺産耦園の花窓

周荘、用直とともに典型的水郷風景が見られる同里

四万段の石段を登った先は水墨画のような雲海の光景

10 中国(安徽省)複合
黄山

交　通　杭州からバスで4時間、南京から列車で7時間の黄山駅からバスで1時間
登録名　Mount Huangshan

二〇〇〇《メートル》近い七二もの奇峰が、一年の半分以上も雲海や霧に覆われることから、水墨画そのものの光景を呈する黄山《こうざん》。「五岳（泰山《たいざん》など）を見た者は他の山など目に入らなくなるが、黄山を見た者はその五岳さえもつまらなく感じる」といわれるほどの中国一の名峰で、李白《りはく》や杜甫《とほ》ら文人墨客も絶賛している。雲海の他、怪石、奇松、温泉を〝黄山四絶〟と称している。

今はロープウェーもかかり、労せずして頂上近くに立てるが、できれば名峰を結ぶ四万段の石段を踏みしめて登りたい。両側が断崖絶壁で、鎖がつけられた「フナの背」はスリル満点。それからほどなくして標高一八一〇《メートル》の天都峰《てんとほう》に着く。

両側から絶壁が迫り、空が一本の線のように見える一線天《いっせんてん》、手招きしているような迎客松のある玉屛楼《ぎょくへいろう》を経て、蓮の花を思わせる黄山最高峰（一八六〇《メートル》）の蓮花峰《れんかほう》に着く。遠く長江の流れも望める。第二の高峰、光明頂《こうみょうちょう》からの雲海は〝天海〟と呼ばれるほどで幽玄の世界だ。

夕焼け、日の出とも最高なので、ぜひ山頂で一泊はしたい。

黄山名物の雲海に浮かぶ72の奇峰群

玉屏楼への絶壁につけられた急な石段　五岳を凌ぐ天下の絶景黄山

11 中国（江西省）文化

廬山国立公園

交　通　北京から列車で10時間の九江からバスで１時間
登録名　Lushan National Park

文人墨客が訪れ、要人が別荘を構えた天下の絶景

長江に面した九江から急カーブの連続の山道を車で南へ一時間の廬山《ろざん》は、『枕草子』にも登場する香炉峰《こうろほう》など標高一〇〇〇メートル級の峰々が聳える山塊。古来、天下の絶景として、李白、白居易《はくきょい》、蘇軾《そしょく》（蘇東坡《そとうば》）などの文人墨客が訪れた。夏でも二二度と涼しく、近年は中国を代表する高級高原避暑地として蔣介石《しょうかいせき》や毛沢東、周恩来、鄧小平《とうしょうへい》なども洋式別荘を構え、雲海が広がる山上に別荘が立ち並ぶ、牯嶺鎮《これいちん》（一一六四メートル）は〝雲の中の山城〟と呼ばれる独特の景観だ。ひときわ美しい英国式洋館の美廬別墅《べっしょ》は蔣介石と宋美齢《そうびれい》夫妻が過ごした別荘。近くに毛沢東同志旧居や一九五九年の有名な廬山会議の跡も。白居易が桃花の美しさを詠んだ如琴湖畔の花径、奇岩怪石を眺めながら歩く断崖絶壁の錦繡谷《きんしゅうだに》、最高峰の漢陽峰《かんようほう》（一四七四メートル）や五老峰（一三五八メートル）、大月山などを望み、中国最大の淡水湖で琵琶湖の六倍もある鄱陽湖を見下ろす含鄱口、李白が「飛流直下三千尺　疑うらくは是れ銀河の九天より落つるかと」と詠んだ落差一五五メートルの瀑布、三畳泉など見どころは多い。麓には名湯の廬山温泉がある。

錦綉谷の絶壁先端に立つとスリル満点

見上げる錦綉谷の絶壁

毛沢東旧居の寝室

別荘群の中でもひときわ美しい美廬別墅

パンダも生息する青く澄んだ一〇〇の湖沼群

12

中国（四川省）自然

九寨溝の渓谷の景観と歴史地域

交　通　成都から九寨溝、黄龍めぐりのツアー（2泊3日～）に参加するのが便利
登録名　Jiuzhaigou Valley Scenic and Historic Interest Area

パンダも生息する標高二〇〇〇～三〇〇〇メートルの高原のカルスト台地に青く澄み切った湖沼が一〇〇余り散在し、それらを無数の滝がつなぐ秘境。湖沼群は本谷の樹正溝《じゅせいこう》では左に、二股に分かれた谷の左の則査窪《そくさくわ》溝《こう》では左側、右の日則溝《にっそくこう》では右側に現われてわかりやすい。

日則溝の五花海は湖中の倒木が紺碧の湖水に透けて見え美しい。青く澄んだ五彩池《ごさいち》は陽光の加減で五色に変化する神秘の湖だ。九寨溝《きゅうさいこう》とはチベット族の村が九つあることから名づけられた。溝は谷の意味である。

最奥部にある青く澄んだ五彩池

雲南の古都に、東巴文字を探しに行こう

13 中国（雲南省）文化

麗江古城

交通　大理からバスで5時間、昆明から空路で40分、バスで9時間
登録名　Old Town of Lijiang

麗江《れいこう》は、万年雪を抱く玉龍雪山《ぎょくりゅうせつざん》（五五九六メートル）麓の標高二四〇〇メートルの高原にある、南宋代から八〇〇年続く古都だ。

伝統音楽や舞踊、象形文字の東巴《トンパ》文字を持つ少数民族・ナシ族の故郷でもある。旧市街の石畳の細い路地には、まるで日本を思わせる瓦屋根二階建ての木造民家が立ち並び、路傍には水路が張り巡らされ、石橋が架けられている。

湖面に玉龍雪山が投影する玉泉公園、近郊には麗江壁画で名高い白沙、水量豊富な水路を張り巡らした東河村、深さ三九〇〇メートルの虎跳峡《こちょうきょう》などがある。

獅子山からは黒い甍の波が一望

富士山頂と同じ高さの絢爛豪華な〝空飛ぶ宮殿〟

14 中国（チベット自治区）文化

ラサのポタラ宮歴史地区

交　通　成都から空路で2時間、空港から市内はバスで1時間半
登録名　Historic Ensemble of the Potala Palace, Lhasa

チベット自治区の都ラサ（拉薩）は富士山頂に近い標高三七〇〇メートルの高地にある。市街中央の紅山南斜面に聳えるポタラ宮は東西四二〇メートル、南北三一三メートル、高さ一一七メートルで一三層からなる。部屋数一〇〇〇、総面積一〇万平方メートルの壮大な城塞式宮殿。十七世紀に観音菩薩の化身とされるダライ・ラマ五世が築き、三〇〇年かけて完成。〝垂直のヴェルサイユ〟と称される。

木と石で造られたチベット最大の建造物で、チベット建築芸術の粋といわれる。中央上層部の紅宮は仏を祀る聖なる場所で、ダイヤやメノウなど一五〇〇の宝石をちりばめた高さ一五メートル、重さ五トンの黄金の舎利塔や、歴代ダライ・ラマの装飾ミイラが安置されている。左右と下層部の白宮はダライ・ラマが政務を執り、住居とした俗生活の部分で、極彩色の壁画で埋め尽くされた寝室や謁見の間、二〇万体の仏像、経典がある。

黄金の屋根が美しいチベット一の聖地、大昭寺《だいしょうじ》（ジョカン）は六四七年建立のラサ最古の寺院。チベット中から参拝に訪れる信徒は、大昭寺を囲む環状のパルコル（八角街）を朝から晩まで読経しながら右回りに、五体投地を

くり返す。境内にあるマニ車は、回すだけでそのお経を一回読んだことになる便利なものだ。酸素が薄い上、ポタラ宮は階段が多いので見学は一歩一歩ゆっくりと。ポタラとはサンスクリット語で〝聖地〟のこと。五体投地もせず、楽してポタラに入った者には高山病などの試練が待っているのだ。チベット式庭園のノルブリンカも訪れたい。

セラ寺の僧たちの仏教問答

ラサの中央に聳え立つ壮大なポタラ宮

15 中国（湖南省）文化

武陵源の自然景観と歴史地域

交　通　北京から列車で13時間40分、各地から空路もある
登録名　Wulingyuan Scenic and Historic Interest Area

柱石、奇峰が三〇〇〇本も並ぶ「天下の奇勝」

　砂岩が高さ二〇〇〇メートルもの柱石、奇峰となり三〇〇〇本も林立する天下の奇勝、武陵源《ぶりょうげん》の中心は張家界《ちょうかかい》。標高一二〇〇メートルの山頂からの雲海、日の出が名物。岩峰群の眺めがいい〝雄〟の黄獅寨《こうしさい》、桃源郷を思わす縦走コースの〝幽〟の金鞭渓《きんべいけい》、高さ一〇〇〇メートルの断崖絶壁の〝険〟の腰《よう》子《し》寨《さい》、〝奇〟の朝天観、二つの岩の頂上にかかっているように見える天下第一橋がある〝野〟の沙刀溝を五絶（五大絶景）という。他に「水八〇〇、峰三〇〇〇」といわれる奇岩奇峰がそそり立つ武陵源随一の景観の天子山、総延長二八キロの黄龍胴がある索渓峪の二地区もある。

奇峰群のスケールは黄山を凌ぐ張家界

リゾートに近接したネイチャー体験ができる

16 マレーシア 自然
キナバル自然公園

交　通　コタキナバルからバス2時間
登録名　Kinabalu Park

　東マレーシア、ボルネオ島サバ州北部に、切り立つ奇峰群が聳える。

　標高四一〇一メートルの、東南アジア最高峰のキナバル山だ。裾野には熱帯雨林が広がり、花崗岩の岩肌がむき出しになった山頂には針葉樹林が見られるなど、よく整備された山道を登れば、変化に富む植生が楽しめる。標高一七〇〇メートルに観光・登山の基地、公園本部がある。ここからのキナバル山の眺めは荘厳で神秘的。山頂からの日の出もすばらしい。

　野鳥や動植物の宝庫で、世界最大の花ラフレシアやウツボカズラが見られる。ポーリン温泉（露天風呂）もある。

比較的容易に登れる東南アジアの最高峰

17 カンボジア 文化

アンコール

交　通　シェムリアップ空港からタクシーで20分
登録名　Angkor

四〇〇年間密林に眠り続けた「幻の遺跡」

二六代、六〇〇年も続いたアンコール朝の壮大な遺跡は、四〇〇年間も密林に覆われ、一五〇年ほど前に偶然発見された。

西参道の正面にアンコール・ワットの全景が姿を現わした時の感動は、今でも忘れられない。十二世紀前半に王がヴィシュヌ神を祀るため、三〇年かけて建造した世界有数の大寺院だ。「海」を表わす濠で囲まれ、西塔門を抜け五分ほどの、中央に行くほど高くなる三重の回廊は「ヒマラヤ」を表現している。中央に聳える高さ六五メートルの中央祠堂など五つの塔はヒンドゥの神々が住む「メール山」を表わしている。

寺院全体にヒンドゥ神話『ラーマーヤナ』などをテーマにした数千体の浮彫が施されているが、第二回廊壁面のレリーフ、天女アプサラと女神デヴァターがすばらしい。

アンコール・トムは濠と城壁を巡らせた三キロ四方の都城で、西大門、南大門、北大門、勝利の門、死者の門の五つの城門や、都城の中心に立つ寺院バイヨンの微笑をたたえる四面仏顔塔、王宮跡など見どころが多い。

天女アプサラのレリーフ

ヒンドゥ神話をテーマにした数千体の浮彫

アンコール・ワット中央祠堂を望む

アンコール・ワットの全景

そこかしこで読経がこだまする仏教を肌で感じる町

18 ラオス 文化
ルアン・パバン（ルアン・プラバン）の町

交　通　ヴィエンチャンから空路40分またはバス8時間
登録名　Town of Luang Prabang

ラオス北部の、メコン川にカーン川が合流する半島状の地形に市街が広がる古都。一三五三年建国のランサーン王国の都として栄え、十六世紀に都はヴィエンチャンに移ったが、宮廷は残った。十八世紀にラオスが分裂するとルアン・パバン王国の都として再び首都に。今も小さな街に八〇もの寺院がひしめき、街のそこかしこから読経の声がこだまする。

ラオスの朝は僧の托鉢で始まる（六～七時）。托鉢はこの国の風物詩で、ラオス中で見られるが、ルアン・パバンでは僧侶の数が半端ではない。一見の価値があり、ほとんどの観光客が一度は眠い目をこする。市民たちはまだ暗いうちからもち米などを用意して歩道にひざまずいている。空が白みはじめる頃、オレンジ色の袈裟《けさ》に身を包んだ僧侶の列が近づいて来る。ざっと数百人の、まさに〝オレンジ軍団〟というべき迫力だ。多くはまだあどけない少年僧。僧はお金を持たないので人々が入れてくれる米やおかずをその日の食事にしているのだ。仏教の国ラオスの生活に触れることのできる瞬間だ。

十四世紀創建の王家の菩提寺ワット・シェントーンはラオスでもっとも豪

華で荘厳な寺院。地面に着きそうなほど屋根が張り出している典型的ルアン・パバン様式の建物で、本堂裏のモザイク画「生命の樹」やレッド・チャペル外壁のカラフルなモザイク画も見逃せない。

　ワット・マイは五層の屋根がすばらしい。メコン川沿いに立ち、賓客用の桟橋まである旧王宮（王宮博物館）の正面から続く三二八段の石段を登り、金色の仏塔が聳える、高さ一〇〇メートルの小山プーシー頂上へ。眼下には箱庭のようなルアン・パバンの街並みとメコン川が広がり、夕日が美しい。

　旧王宮付近は夕方から少数民族モン族の少女たちが刺繍を施したカラフルな布や財布、バッグなどを路上に並べる。ナイトバザールの露店は果てしなく続く。

ワット・シェントーンの生命の樹（左）とレッド・チャペル（正面）

ルアン・パバン名物、朝の僧たちの托鉢行列

プーシー山頂からの箱庭のような街並みとメコン川。中央は旧王宮

「解脱の旅」を自分の足で経験できる不思議な寺院

19 インドネシア 文化

ボロブドゥル寺院遺跡群

交通 ジョグジャカルタからバスで1時間
登録名 Borobudur Temple Compounds

安山岩のブロックを積み重ねただけの一二〇《メートル》四方、高さ三五《メートル》の世界最大の仏教遺跡。八～九世紀に建造されたが、密林に埋もれ、十九世紀初めに発見された。

ピラミッド形に全部で九層からなる、内部空間が全くないユニークな青空寺院である。時計回りに回ると上の壇に達する回廊には、一四六〇の壁面に仏典に基づく浮彫が全長五《キロ》も続く。七二基の釣鐘形のストゥーパ（仏塔）の中には仏像がある。

頂上の大ストゥーパに達すると解脱の旅が終わるようになっている。

72基の釣鐘形ストゥーパの中には仏像が

存在がまさに奇跡！　現存するインド最古の五層塔

20　インド　文化

デリーのクトゥブ・ミナールとその建造物群

交　通　コンノート・プレイスからバス45分
登録名　Qutb Minar and its Monuments, Delhi

赤砂岩で造られた、高さ七二・五メートル、基部の直径八メートルの五層の塔。十二世紀末建造の、現存するインドで最も高い石造建造物である。一層はヒンドゥ様式。二〜三層はイスラム様式で、典型的な「ヒンドゥ・イスラム融合」の好例。内部は三九七段の螺《ら》旋《せん》階段が頂上まで続いている（入場不可）。

脇のクワトゥル・イスラムモスクは現存するインド最古の回教寺院。実はクトゥブ・ミナールはこのモスクの付属物なのだが、ピサの斜塔と同様、塔の方が有名に。高さ七・二メートルのチャンドラヴァルマンの鉄柱は純度一〇〇パーセント近い鉄のため一六〇〇年以上も腐食せずに立ち続けている不思議な柱。柱に背中をつけ、手を後ろに回して指先がつなぎ合わせられれば、願いが叶うという。

のちのタージ・マハルの建造に大きな影響を与えた、白大理石造りのドームが聳えるフマユーン廟はムガル朝二代フマユーン帝の墓廟。赤砂岩で造られたことから〝赤い城〟と呼ばれるレッド・フォート（ラール・キラー）は五代シャー・ジャハーン帝が建造した城で、別の世界遺産として登録。

レッド・フォート（ラールキラー）

レッド・フォートの繊細な透かし彫りの格子窓

タージ・マハルの原型となったフマユーン廟

建設費二〇兆円の白大理石の廟は満月の夜がいい

21 インド（アーグラ）文化

タージ・マハル、アーグラ城塞、ファテープル・スィクリー

交　通　デリーからアーグラまで列車で2時間
登録名　Taj Mahal/Agra Fort/Fatehpur Sikri

〝光り輝く幻〟と呼ばれ、幾何学的美しさでイスラム建築最高の傑作といわれるタージ・マハル。古都アーグラのヤムナー河畔に浮かぶように造られている。ムガル帝国五代皇帝シャー・ジャハーンが、最愛の妻の死を悼んで建設した霊廟という話はあまりに有名だが、驚くのはかけた歳月と費用。ウズベキスタンやヨーロッパからも招いた二万人の工匠を使って、二二年間、現在のお金に換算して約二〇兆円という莫大な建設費をかけた。

当然、国は傾き、ムガル帝国滅亡の遠因に。皇帝はついには息子に幽閉されてしまう。川の対岸に黒大理石の自分の墓を建て、両方を橋で結ぶ計画も果たせず、幽閉されたアーグラ城の望楼ムサンマン・ブルシュ（囚われの塔）から死ぬまで毎日タージ・マハルを眺めて暮らしたという。

タージ・マハルは横三〇〇メートル、縦五八〇メートルの広大な敷地に九五メートル四方の基壇を設け、その中央に五七メートル四方、高さ六七メートルの廟堂を建てたもので、左右対称の総大理石造り。ふっくらとした中央の大ドームの左右に小ドームを配し、四隅には高さ四〇メートルのミナール（尖塔）が聳える。妃の白大理石の棺に

は三㌢四方の花模様の象嵌《ぞうがん》が六〇以上施され、壁面には世界各地から取り寄せたラピスラズリやブラッドストーンなど貴石が嵌《は》め込まれている。

朝はバラ色に染まり、日中は純白に輝き、日没時には金色と化すタージ・マハルの天上的美しさは、見る人を夢の世界へ誘い込む。満月の夜、月光に照らし出されて青白く浮かび上がる姿は妖しいまでの美しさで魅了する。

アーグラには皇帝が幽閉された、赤砂岩造りのムガル帝国の居城「アーグラ城塞」と〝赤砂岩の詩〟と讃えられた、周囲一二㌔の壮大なムガル朝王都の跡「ファテープル・スィクリー」の別の二つの世界遺産がある。

ファテープル・スィクリーのダルワーザー（高門）

アーグラ城から眺めるタージ・マハル

22 インド 文化

アジャンタ石窟群

交　通　アウランガーバードからバスで2時間30分
登録名　Ajanta Caves

一〇〇〇年の時を超えてなお鮮やかな仏教壁画

西インド、アウランガーバードの北一〇四キロのワーゴル渓谷で紀元前二世紀から七世紀まで彫り続けられたもので、石窟の造営がエローラに移ると、一〇〇〇年以上も忘れ去られ、十九世紀初めに偶然発見された。人々の記憶から消えたおかげで、無傷に近い形で貴重な文化遺産が守られたのである。

三〇の石窟寺院群は、馬蹄形の渓谷の約六〇〇メートルの岩肌に彫られている。〝壁画のアジャンタ〟といわれるほど壁画の彩色の美しさ、表情の豊かさは傑出しており、仏教美術の宝庫と称される。

法隆寺金堂壁画のモデルとされる「蓮華を手にする菩薩像」「黒姫」「宮廷内で会話を交わす王と妃」「踊り子たち」（一窟）、「仏陀誕生図」「王妃マーヤーの仏陀懐妊図」（二窟）、アジャンタ壁画の代表作「死にゆく王女」（一六窟）、「化粧する女」「托鉢しながらカピラ城へもどる仏陀」（一七窟）などは必見だ。長さ七・二メートルのインド最大の釈迦涅槃《ねはん》像（二六窟）など、彫刻にもすばらしいものがある。

アウランガーバードから日帰りのバスツアーがある。

1窟　蓮華を手にする菩薩像

17窟　托鉢しながらカピラ城にもどる仏陀

馬蹄型に600ｍの岩肌に彫られた石窟寺院群

三宗教の石窟寺院を一度に見られる

23 インド 文化

エローラ石窟群

交　通　アウランガーバードからバスで45分
登録名　Ellora Caves

アウランガーバードの北西三〇キロにある岩山全体をくり抜いて造った石窟寺院群。エローラ石窟は、すでに仏教が衰えはじめた頃から造られたため、仏教美術の影響を受けたヒンドゥ寺院の方が多い。スケールはより大きくなり、彫刻技術は一段と輝きを増している。ジャイナ教の石窟も見られ、古代インドの寛容性を示して三つの宗教が共存しているのが特色である。

大小三四の石窟寺院のうち一～一二窟が仏教寺院だが、一一～一二窟はヒンドゥの影響が見られる。ストゥーパと仏陀座像（一〇窟）、七体の仏陀座像（一二窟）などがある。

中央の一三～二九窟がヒンドゥ寺院で、一六窟のカイラーサナータ寺院は幅三三メートル、奥行五〇メートル、高さ三五メートルと、エローラ最大。玄武岩の岩山を真上から切りおろし掘り下げたもので、建物、彫像群は一つにつながっている。よって継目が全くない驚異の建造物である。

仏教寺院と反対側にある三〇～三四窟はジャイナ教寺院で、精巧な彫刻はさらに洗練され、柔らかな曲線が美しい。

12窟　3階建ての僧院窟

32窟　精巧なジャイナ教寺院

↑32窟　天井の壁画もみごと

16窟　岩を切り出した壮大なカイラーサナータ寺院

男女交合の彫刻は、究極のエロチシズム！

24 インド 文化
カジュラーホの建造物群

交　通　デリーから列車で4時間30分、ジャンスィ駅下車、バスで4時間
登録名　Khajuraho Group of Monuments

カジュラーホは九～十三世紀にチャンデーラ王国の都として栄え、今でも二二のヒンドゥ寺院が残る。

花崗岩や砂岩で造られた石造寺院の外壁は、神々やアプサラ（天女）像、男女の愛の姿態を表わしたミトゥナ（男女交合）像で埋め尽くされ、その官能美は彫刻とは思えないほどリアリティに満ちている。

ヒンドゥ教では性の営みを万物の生成の原点と考える。シヴァ神の象徴リンガ（男根）とヨーニ（女陰）は街の至るところで見かけられ、両方が合したものが本尊として崇拝、信仰されている。

カジュラーホの寺院の浮彫を刻んだ当時の人たちも男女交合の場面を神々しいものと捉えて、豊満な肉体を包み隠さず白日の下にさらしている。寺院の壁全体に刻まれた無数の官能的彫刻はエロチシズムを超えて、むしろ不思議なおおらかささえ感じさせる。

ミトゥナ像はデーヴィー・ジャグダンバー寺院のものが最もエロチックで、三層の壁面を埋め尽くしている。

寄り添うシヴァとパールヴァティ像

カンダリヤー・マハーデーヴァ寺院

ミトゥナ像はエロチックを超えた究
極の官能世界

愛の行為を恥じらいながら見つめる
女官

世界一の高峰エベレストを望むトレッキングに挑戦！

25 ネパール 自然

サガルマータ国立公園

交　通　カトマンズからルクラまで空路で40分、さらに徒歩3日
登録名　Sagarmatha National Park

サガルマータはエベレストのネパール名で、チベット名のチョモランマと比べるとあまり知られていない。

サガルマータやローツェ、マカルー、チョー・オユーなどネパール・ヒマラヤの八〇〇〇メートル級の高峰八座のうち五座が含まれるクーンブ山群が、無数の氷河を抱く〝世界の屋根〟として世界遺産に登録されている。

サガルマータを仰ぎ見るにはシェルパ族の集落やゴンパ（ラマ教寺院）を眺めながらタンボチェ（三八六七メートル）まで、往復六日のトレッキングが必要だ。

サガルマータ（エベレスト）とクーンブ山群

標高一三三六メートルにあるネパールの「芸術の宝庫」

26 ネパール 文化
カトマンズの谷

交　通　カトマンズからバス（10〜60分）
登録名　Kathmandu Valley

標高一三三六メートルのカトマンズ盆地（谷）はネパールの伝統的建物、彫刻、絵画の宝庫。カトマンズ旧市街のタレジュ寺院や少女神クマリの館があるダルバール（王宮）広場、パタンのダルバール広場、バドガオンの五五の窓の宮殿は必訪。

また、ストゥーパ（仏塔）の四隅に大きな目玉が描かれたスワヤンブナート寺院、高さ三六メートルの世界最大のストゥーパがあるボダナート寺院、ヒンドゥ教三大聖地の一つパシュパティナート寺院、四世紀建立のカトマンズ盆地最古の建物チャングー・ナラヤン寺院もぜひ訪れておきたい。

大きな目玉で有名なスワヤンブナート寺院

アボリジニが聖地とあがめる世界最大級の一枚岩

27 オーストラリア（ノーザン・テリトリー）自然

ウルル-カタ・ジュタ国立公園

交　通　アリススプリングスからバスで6時間
登録名　Uluṟu-Kata Tjuṯa National Park

ウルル（アボリジニの言葉で日陰の意）は、豪州大陸ど真ん中の赤褐色をした砂漠の中に突如出現する、世界最大級の一枚岩。縦三・六キロ、横二・四キロ、周囲八・八キロ、高さ三四八メートルという巨大なもので、地殻変動により隆起した砂岩が、浸食作用で硬い部分のみを残したものだ。

ウルルの西三二キロにあるカタ・ジュター（たくさんの頭の意）は、三六もの赤褐色をしたドーム形の巨大な岩の集合体で、高さは五四六メートルもある。岩と岩との間には「風の谷」など多くの峡谷もある。以前は各々、エアーズロック、マウント・オルガと呼ばれていたが、今はアボリジニ語が正式名称となった。ウルル山麓の洞窟には、アボリジニが描いた壁画がある。

登山口からウルルの山頂までは約八〇〇メートル。往復で一時間三〇分～二時間ほど。鎖につかまりながら急な岩を登る。岩肌は滑りやすく、突風も吹くので、スニーカーは必須、軍手があると便利だ。山頂からは西にカタ・ジュターが見える以外は、赤い砂漠の大平原が地平線まで続く、三六〇度の大パノラマだ。夏は四〇度を超す猛暑なので六～九月の冬に訪れたい。

周囲９㎞近い世界最大級の一枚岩

カタ・ジュター（マウント・オルガ）の風の谷

←ウルル（エアーズロック）山頂を目指す登山客

カラフルでユニークなアボリジニの小石芸術は土産に最適

海の透明度に驚く、乾季に訪れたいダイバー憧れの地

28 オーストラリア（クイーンズランド州）自然

グレート・バリア・リーフ

交　通　ケアンズからグリーン島へは高速船で45分
登録名　Great Barrier Reef

豪州大陸北東部のクイーンズランド州沿岸に二〇〇〇キロも続く世界最大のサンゴ礁。二〇万平方キロの広大な堡礁《ほしょう》にグリーン島、ハミルトン島、ヘイマン島、ヘロン島、マグネティック島など七〇〇以上の島が浮かぶ。二〇〇万年かけてできたサンゴはイシサンゴやテーブルサンゴなど四〇〇種に及び、一五〇〇種のカラフルな魚が群れ泳ぐ。四〇〇〇種の軟体動物、ジュゴンやアオウミガメも生息する。エメラルドグリーンの海は世界のダイバーの憧れの地で、海が最も澄む六～十一月の乾季が最適。

グリーン島の青く澄んだサンゴ礁の海

ここでしか見られない珍しい動物たちと出会える島

29 オーストラリア（タスマニア州）複合

タスマニア原生地域

交　通　メルボルンからフェリーで11時間
登録名　Tasmanian Wilderness

　豪州大陸の南に浮かぶタスマニア島は北海道ほどの大きさ。豪州大陸から隔絶していたため、肉食性有袋類では最大で見かけ以上に狂暴なタスマニアデビルなど、多くの島固有種が生息。世界でも数少ない未開の地である島南西部には、世界で唯一の貴重な亜高山帯混交林がある。

　ミナミブナは太古のゴンドワナ大陸時代の遺物。北西部のクレードル山（一五四五メートル）やドーブ湖は氷河の浸食でできたものだ。ロッジの餌場には、夜、タスマニアデビルやフクロネコがやってくる。

比較的簡単に登れる奇峰クレードル山とドーブ湖

世界で四番目に古い国立公園の草分け

30 ニュージーランド 複合
トンガリロ国立公園

交　通　オークランド、ウェリントンからバスで6時間、ナショナルパーク下車
登録名　Tongariro National Park

ニュージーランド北島中央に聳える三つの火山からなる、一八九四年指定の国立公園。ニュージーランド最古、世界でもイエローストーン、ロイヤル、バンフに次いで四番目に古い国立公園の草分けで、最寄りのバス駅名も単に「ナショナルパーク」だ。マオリの首長が、聖地であるこの地を保護するため寄贈したもので、地平線まで続く広大な溶岩原が果てしなく続いている。九七年にも噴火した、万年雪を抱くルアペフ（二七九七メートル）は北島の最高峰で、夏でもスキー用リフトで二〇〇〇メートルまで行ける。さらに火口湖のある頂上まで登れば、三六〇度の展望が開ける。

麓に瀟洒《しょうしゃ》なホテル、シャトー・トンガリロがある。外観はゴージャスだが、比較的安く泊まれる穴場の宿で、食事もおいしい。ここをベースにコバルトブルーのアッパーターマ湖及びロワーターマ湖往復や、富士山に似たコニーデ型の、ナウルホエ（二二九一メートル）と複雑な山容のトンガリロ（一九六八メートル）両火山の間を縦走、エメラルド湖、ブルーレイクを訪ねるトンガリロ・クロッスイングの両日帰りコースが人気だ。

富士山に似たナウルホエ（左）とトンガリロ、ルアペフ（右）

ニュージーランドの摩周湖、アッパーターマ湖へは往復5〜6時間ほど

世界一美しい散歩道をつくる氷河とフィヨルドと湖の競演

31 ニュージーランド 自然

テ・ワヒポウナム

交　通　クライストチャーチからマウント・クックまでバスで5時間
登録名　Te Wahipounamu-South West New Zealand

ニュージーランド南島にある総面積二・六万平方キロの広大な自然遺産で、「マウント・クック」「ウエストランド」「マウント・アスパイアリング」「フィヨルドランド」の四つの国立公園からなる。

三〇〇〇メートル級の高峰が二〇も聳え立つサザンアルプスの最高峰、マウントクック（三七五四メートル）は、バス終点にあるニュージーランド随一の山岳リゾートホテル、ハーミテージのロビーからも眺められる。ガバナーズブッシュやケアポイントの各コースを歩けば、氷河を抱くさらに雄大な光景が展開する。ケアポイントの「ケア」とは、世界で唯一高山に棲むオウムだ。

ウェストランド国立公園には、フランツ・ジョセフとフォックスの双子氷河がある。サザンアルプスの高峰から海に落ち込むかのように海抜三〇〇メートルまで迫る、世界的にも珍しい、低地で見られる氷河だ。

町から歩いて一〜二時間で氷河の先端まで行ける。これは、西海岸を流れる暖流から発生した大量の水蒸気がサザンアルプスの高峰にぶつかり、尨大な雪を降らせ、その圧力で氷河が急な傾斜の谷を海岸近くまで滑り落ちるように延びたためである。

フォックス氷河近くのマセソン湖は、サザンアルプスの雄姿を湖面に映すニュージーランド屈指の美しい湖といわれている。

フィヨルドランド国立公園には一四ものフィヨルドがあり、滝が直接落ち込むミルフォード・サウンドのクルーズや、〝世界で一番美しい散歩道〟とされる「ミルフォード・トラック」のハイキング（五泊六日）が楽しめる。このハイキングコースはガイド、高級ホテルつきで目の玉が飛び出るほど高価だが、マッキノン峠からの雄大な眺めや世界有数の落差のサザーランド滝など、ハイカーなら一生に一度は歩いてみたいコースだ。

絶滅の危機にある飛べない鳥、タカへもここに生息している。

グレンコーウォークからのマウント・クックとハーミテージ（右）

マセソン湖へ向かう旅行者。バックはマウント・クック

フォックス氷河は氷河の先端近くまで行ける

ニュージーランドではフィヨルドをサウンドと呼ぶ。代表的なミルフォード・サウンド

アジア・オセアニア
――その他のお勧め世界遺産

←**姫路城(日本・兵庫)**
国宝5城の一つで、白鷺城とも呼ばれる。5層6階の天守閣と3つの小天守を結ぶ渡り櫓《やぐら》、化粧櫓など櫓が27棟、門15棟、1000mもの土塀、内堀、外堀からなる壮大な城で、「播州皿屋敷」のお菊の井戸もある。

→**秦の始皇帝陵(中国・陝西省)**
秦始皇帝陵は西安の北東37kmにある高さ47m、一辺350mの方形の墳丘。37年の歳月と70万人の労力を費やして建造された。近くの兵馬俑博物館には皇帝を守る等身大の俑(人形)の軍隊が数千体も並び壮観。

←**黄龍(中国・四川省)**
標高3000mほどの石灰岩層にできたエメラルドグリーンの湖沼が段々畑のように重なって7kmも続く奇観。迎賓池、盆景池、玉水彩池、映月彩池などを経て黄龍寺そばのひときわ美しい五彩池へ。九寨溝(44ページ)と一緒に回るといい。

他にコルディレラの棚田、ブランバナン、インドの山岳鉄道群、バイカル湖、カムチャッカ火山群もお勧め。

❷ 中央アジア 中東・アフリカ

32 ウズベキスタン 文化

ブハラ歴史地区

交　通　タシケントから空路で1時間30分
登録名　Historic Centre of Bukhara

シルクロードの面影を色濃く残す〝砂漠の灯台〟

シルクロードの要衝として二〇〇〇年も続く古都だが、モンゴルによって破壊されたため、今も残るカリヤン・ミナレットとイスマイル・サマニ廟以外は、大半がブハラ最盛期の十五～十六世紀のものである。

ミリ・アラブ・メドレセは一四二九年建造のイスラム神学校で、旧ソ連時代も唯一存在を許されていた。ドームの装飾タイルの青がすばらしい。

ブハラハンの城塞アルクの城壁の上からは、町全体が遺跡といった趣《おもむき》の、中世そのままの旧市街が一望できる。

旧市街の中心に聳え立つカリヤン・ミナレットは一一二七年に完成した高さ四六メートルの光塔で、各層の日干しレンガを縦・横・斜めに積むことにより、太陽光に眩《まぶ》しく反射して、隊商の道しるべになっていた。かなり遠くからも見える〝砂漠の灯台〟である。四本のミナレットを持つチャル・ミナールのメドレセやウルグ・ベク・メドレセもすばらしい。

イスマイル・サマニ廟は九〇〇年建造の現存するブハラ最古、中央アジア最大級のイスラム建築だ。

カリヤン・ミナレット

ブハラハンの城塞アルク

ハーレムだった夏の離宮シトライ・マヒ・ホーサ宮殿

33 ウズベキスタン 文化

サマルカンド-文明の十字路

交　通　タシケントから空路で1時間
登録名　Samarkand-Crossroads of Cultures

イスラム建築の粋が集まるティムール帝国の〝青の都〟

紀元前四世紀に街を征服したアレキサンダー大王を、〝話に聞いていた通り美しい、いやそれ以上に美しい〟と驚嘆させ〝東方の真珠〟〝イスラム世界の宝石〟と称された街は、アラブ、モンゴルにより破壊された。「チンギス・ハーンは破壊し、ティムールは建設した」といわれるように、街を再建したのがティムール。ティムール帝国の都として、抜けるような青空とモスクの色から〝青の都〟と呼ばれる。

旧市街の中心のレギスタン広場には、一四二〇年建造の最古のメドレセ（神学校）でアーチの精巧な装飾がみごとなウルグ・ベク・メドレセ、礼拝所の内部が金箔で覆われているティラカリ・メドレセ、イスラムでは珍しく人と動物がモチーフの、二番目に古い神学校シェルドル・メドレセが立ち並ぶ。

青の都の中でもひときわ鮮やかな青い大ドームがグリ・アミール廟。市最大のシャブバザール手前のビビ・ハニム・モスクは中央アジア最大のモスクだ。アフラシャブの丘のシャーヒ・ジンダー廟はティムールゆかりの人たちを祀る廟で青のモザイクタイルが美しい。

金箔がみごとなティラカリ・メドレセ

中央アジア最大のビビ・ハニム・モスク

旧市街の中心、レギスタン広場

鮮やかな青いドームのグリ・アミール廟

崩れかけたモスクのドームも美しい

34 ヒヴァのイチャン・カラ ウズベキスタン 文化

交通 ウルゲンチからバスで一時間
登録名 Itchan Kala

カラクム砂漠入り口のオアシスで、二重の城壁で囲まれている。高さ一〇メートル、周囲二・二キロの内壁の内側がイチャン・カラ（内城）で、民家も昔ながらの土壁の家。町全体が博物館だ。

高さ四五メートルのイスラム・ホジャ・ミナレットに登ると、二一二本の柱が残るヒヴァ最古のジュマ・モスクや青タイルで覆われた未完のミナレットのカルタ・ミナルなど二〇のモスク、二〇のメドレセ（神学校）、六のミナレット（尖塔）がひしめく〝中央アジアの真珠〟と呼ばれた石畳の内城が一望できる。

35 サナア旧市街 イエメン 文化

交通 カイロから空路で四時間
登録名 Old City of Sana'a

アラビア半島西南端のイエメンの首都で、標高二二〇〇メートルの高原に位置している。二五〇〇年以上も前から人々が住んでいた世界最古の街で、シバ王国の商都として栄え、七～八世紀が全盛。高さ一二メートルの城壁に囲まれた旧市街には一〇三のモスクと一二のハマム（公衆浴場）が残っているが、驚くのは大半が十一世紀以前に建てられた六五〇〇もの民家。日干しレンガや花崗岩、玄武岩などを鉄骨、鉄筋も使わず積み上げた高さ三〇～五〇メートルの高層建築が多く、アーチ形の窓の漆喰装飾が美しい。

ここを見れば〝世界の半分〟を見たことになる

36 イラン 文化

イスファハンのエマーム広場

交　通　テヘランから空路で1時間
登録名　Meidan Emam, Esfahan

十六世紀末、サファーヴィー朝アッバース一世は都をイスファハンに移し、バザールに続く野外市場であった地に、東西一六三メートル、南北五一〇メートルの細長い広場を設け、街造りに着手。このエマーム広場の周りに壮麗なモスクや宮殿を造り、イスラムで最も美しい広場と称されるようになった。

やがて町が繁栄し、〝イスファハンは世界の半分〟といわれるまでになった。広場南側のマスジェデ・エマームは、青を基調に黄を配した高さ五二メートルのドームが聳え立つ比類ない美しさのモスクで、〝イランの宝石〟と呼ばれている。左右二本のミナレットを配したエイバーン（玄関）の鍾乳石飾りの美しさには目をみはる。ここから礼拝堂への通路は右に四五度曲がっている。礼拝堂内のミフラーブ（壁龕《がん》）をメッカの方向に向けるためである。壁面は草木やコーランの章句をモチーフにしたアラベスクと幾何学模様の七色の彩釉タイルで飾られ、夢幻的な美しさを見せる。

広場の東側には、淡黄色のタイルを白と藍の草花模様がドームの内外壁を飾るマスジェデ・シェイク・ロートフォラーが立つ。王族専用で、尖塔のないのが特色の簡素で優美なモスクだ。西側には七層の楼閣風城門アーリー・ガープー宮殿が立つ。北側はバザールで、ゲイサリエ門から入るとペルシャ絨毯や金銀細工の手工芸品の店が金曜モスクまでウナギの寝床のように細長くギッシリ並んでいる。近くの、橋の下にチャーイハーネ（喫茶店）が並ぶスィー・オ・セ橋や、昔のキャラバン・サライ（隊商宿）をホテルにしたアッバースィーの素敵なカフェ・レストランでお茶や食事をしたい。

マスジェデ・シェイク・ロートフォラーのエイバーン（玄関）

王族専用のマスジェデ・シェイク・ロートフォラー

バザール入り口にあるチャーイハーネからのエマーム広場の全景

マスジェデ・エマームのエイバーン（玄関）の鍾乳石飾り

食事やお茶に寄りたいアッバースィーホテルの民俗調レストラン

美しいハージュ橋と黒いチャードル姿の女性

マスジェデ・エマームの礼拝堂のドーム天井　モスクの青を思わす食器は土産に

日本との共通点もある中東三大遺跡の一つ

37 イラン 文化

ペルセポリス

交　通　テヘランから空路1時間20分のシラーズからバス1時間
登録名　Persepolis

シラーズの北東六〇キロの砂漠の中の巨大な石柱群が紀元前六〜四世紀のアケメネス朝の夏の都ペルセポリス（ペルシャ人の都の意）だ。ダリウス大王が造営し、その子の代に完成した四五五×三〇〇メートルの壮大な王宮群跡で、ペトラ、パルミラと並び「３Ｐ」と呼ばれる中東の三大遺跡だ。紀元前四世紀にアレキサンダー大王によりペルセポリスは陥落、炎上して廃墟に。

長い石段を登り、有翼人面獣身像のあるクセルクセスの門から中に入る。一〇〇×九〇メートルのアパダナ宮殿はかつては高さ一八メートルの円柱が三六本も林立していたが、今は一三本が残るのみ。基壇東階段の緻密なレリーフが見もの。

朝貢行列図はスキタイ、インド、トルコ、エジプト、エチオピアなど広大な支配地域二三か国からの使者が馬や牛、壺など特徴ある献上物を手に行進していて、当時の服装などがわかる。大量のくさび形文字も見られる。

隣接の百柱の間は木造の王妃の住居跡のみが復元されている。柱や壁などが赤で彩色され、日本の古代の朱塗りの建物と共通していて興味深い。奥の高台のアルタクセルクセス二世の墓からは遺跡の全景が一望できる。

入り口のクセルクセスの門

ユニークな動物の彫像

宮殿を造営したダリウス大王のレリーフ

アパダナ宮殿基壇東階段の朝貢行列図のレリーフ

断崖絶壁を抜けると、突如現われるバラ色の都

砂漠の中のピンク色をした砂岩の岩山に半分彫られ、半分は建築された不思議なバラ色の都。

アラビア半島とエジプト、シリア、フェニキアを結ぶ中東の交通の十字路に、高い水利技術と商才を持つ砂漠の遊牧民ナバテア人がその芸術性を生かして築いた交易都市だ。滅亡後は一〇〇〇年間も忘れ去られ、十九世紀初めに発見された。

シクという断崖絶壁の地峡をロバの背に揺られて行くと、砂漠の中の岩山を穿《うが》った、巨大なピンク色の神殿に出くわす。

その他、劇場や市場、王家の墳墓など、無数の建造物が岩山に彫られている。

38 ヨルダン 文化

ペトラ

交　通　アンマンからバスで2時間30分
登録名　Petra

映画『インディ・ジョーンズ 最後の聖戦』の舞台

この地を訪れずして世界の歴史は語れない！

39 ヨルダンによる申請 文化

エルサレム旧市街と城壁

交　通　テルアビブ国際空港からバスで1時間
登録名　Old City of Jerusalem and its Walls (Site proposed by Jordan)

　エルサレムは標高八〇〇《メートル》に位置する高原都市。旧市街はオスマン・トルコ時代に築かれた一《キロ》四方の城壁に囲まれている。三～五《メートル》幅の石畳道が迷路のように続く旧市街は北東のムスリム地区、北西のキリスト教徒地区、南東のユダヤ人地区、南西のアルメニア人地区と宗教別に住み分けられている。

　三〇〇〇年の歴史は宗教と民族の違いによる抗争の歴史だ。紀元前十世紀にイスラエルはダビデ王により建国され、ソロモン王やヘロデ王の時にユダヤ教の神殿が築かれた。紀元七〇年にローマ軍によって神殿は破壊され、民族も各地に離散。四世紀以降、ユダヤ人は年に一回だけ帰国して祈ることを許され、破壊された神殿を囲む西壁の一部の前で祈り、神殿の破壊と祖国の喪失を嘆き悲しんだ。それ以来、その西壁は嘆きの壁といわれる。

　一九四八年に旧市街が東エルサレムとしてヨルダン領になると、ユダヤ人は近づくことも不可能になったが、一九六七年の六日戦争でイスラエル領になると、いつでも自由に参拝できるようになった。

　嘆きの壁と隣り合わせのムスリム地区にあるのが、金色に輝くドームと青

スパイスが山に盛られた旧市街の香辛料専門店

カラフルなエルサレム・キャンドルは土産に最適

ゲッセマネから見たエルサレム旧市街の全景と金色の岩のドーム

ユダヤ教徒の聖地、嘆きの壁は破壊されたユダヤ教神殿の一部

タイルの外壁が美しい岩のドームだ。七世紀にアラブ人がエルサレムを占領し、ユダヤの神殿の丘跡の、預言者マホメットが昇天したとされる場所に建てたもので、イスラム教の聖地になっている。隣りにアル・アクサー寺院がある。五〇〇メートル西には、イエスが処刑されたゴルゴタ（しゃれこうべの意）の丘に三三六年建てられた聖墳墓教会がある。エルサレムは三宗教の聖地が一か所に集まる、世界で唯一の場所なのだ。

旧市街を囲む城壁は高さ一〇メートル余り、厚さ五メートルもあり、ダマスカス門、黄金門など八つの門がある。黄金門はユダヤの伝説で終末の日に救世主が入場する門とされているため、昔ムスリムたちによって閉ざされ、今もそのままに。城壁の上は遊歩道になっていて旧市街の眺めがいい。カルドやフルヴァ・シナゴーグ、ダビデの塔も訪れたい。

40

カイロ歴史地区 エジプト 文化

交通　カイロ国際空港からバスで一時間
登録名　Historic Cairo

世界遺産はナイル右岸のオールドカイロと中世の面影を残すイスラム地区に集中。名君サラディンがギザのピラミッドの石材で築いた城塞のシタデル、その中にある巨大ドームのムハンマド・アリ・モスク、高さ四〇メートルのミナレットから市街やナイル川が一望のカイロ最大級のイブン・トゥルン・モスク、三七五本の石柱が林立するアル・アズハル・モスク、カイロ一高い九〇メートルのミナレットがあるスルタン・ハッサン・モスク、死者の街、フスタート、アムル・モスク、聖ジョージ教会など。

41

ヌビア遺跡群 エジプト 文化

交通　カイロから空路で二時間
登録名　Nubian Monuments from Abu Simbel to Philae

スーダンとの国境に近い、エジプト最南部ヌビア地方のナイル河畔とフィラエ地方にあった貴重な神殿群は、アスワンハイダム建設のため水没の危機に。一枚岩の砂岩を彫り出したアブ・シンベル神殿もその一つで、高さ二〇メートル、奥行六三メートルのラムセス二世（第一九王朝）の坐像が圧倒的な迫力で四体並ぶ。この世界最大の岩窟神殿を一万六〇〇〇個のブロックに分割解体し、六〇メートル上方へ移築することに成功。カラブシャ神殿やナイルの真珠と呼ばれたフィラエ島に立つフィラエ神殿も移築された。

42 エジプト 文化

メンフィス周辺のピラミッド地帯

交　通　カイロからギザまでバスで30分
登録名　Memphis and its Necropolis-the Pyramid Fields from Giza to Dahshur

当時の技術に驚かされる、八〇ものファラオの墓

紀元前二十七～前二十二世紀の古代エジプトの首都メンフィス周辺には有名なギザをはじめ、サッカラ、ダハシュール、メイドウムなどに約八〇ものピラミッドが散在している。魂は不滅で必ず生き返ると信じたファラオ（王）たちは死後、肉体をミイラとして墓に安置するよう命じた。

古王国第一～二王朝の頃は、日干しレンガで造るマスタバ（貴人の墳墓）という飾り立てた棺に似た四角い台のようなものだったが、第三王朝のジェセル王（紀元前二六五〇年頃）の死後、底部一四〇メートル×一二八メートル、高さ六〇メートルの六段からなる階段状の巨大なピラミッドが石灰岩で造られた。

これがエジプトのピラミッド第一号で、最古の石造建造物である。階段式ピラミッドはメキシコのテオティワカンなど世界各地にも多い。

ダハシュールの第四王朝スネフル王の屈折ピラミッドは、傾斜角は途中から変えているが、形はギザの真正ピラミッドに近い。高さも九八メートルと増す。赤いピラミッドも見たい。

そして、紀元前二五五〇年頃の古王国最盛期の第四王朝クフ王の死後に、

サッカラのジェセル王の階段ピラミッド

カフラー王のピラミッドとスフィンクス

二・五トンの石を約三〇〇万個も積み上げた、一辺二三〇メートル、高さ一四六メートルの正四角錐形をしたエジプト最大のクフ王のピラミッドが完成する。

傾斜五一度五二分と、みごとに均整のとれた簡素で力強いピラミッドだ。続いて高さ二〇メートルの一枚岩の彫刻スフィンクスが守護するカフラー王とメンカウラー王の三大ピラミッドが並んで造られた。

いずれも底辺が正確に東西南北を向いており、クフ王のピラミッドは一辺の長さの誤差はわずか二〇センチと当時の測量、工学技術の高さに驚かされる。

ギザの三大ピラミッドは、このような巨大な石が積み上げられ造られている

43 エジプト 文化

古代都市テーベとその墓地遺跡

交　通　カイロから列車で10時間、空路は1時間
登録名　Ancient Thebes with its Necropolisr

「死者の都」と「生者の都」にあなたは何を見る……？

エジプトの中王国と新王国（紀元前十六～前十一世紀）の都はカイロから七〇〇《キロ》南、ナイル河畔のテーベ（今のルクソール）に築かれた。第一八王朝の時には、北はシリアから南はエチオピアまで有する大帝国になり、ギリシャの詩人ホメロスは〝百門の都〟テーベと讃えた。

ナイル東岸は〝生者の都〟と称し、神殿を中心に町が築かれた。五〇〇《メートル》四方の敷地に立つカルナック神殿はアモン神を祀る世界最大の神殿で、参道には胴と四肢はライオンだが、頭はアモン神の聖獣である牡羊というスフィンクスが並ぶ。ラムセス二世の巨像がある拝殿は、浮彫がある砂岩の石柱一三四本が林立し、うち一二本は高さ二三《メートル》、直径三・六《メートル》という巨大なもの。その奥にはアモンの神像と高さ約三〇《メートル》のハトシェプスト女王のオベリスクが立つ。池畔には花崗岩でできた巨大なスカラベ（聖なる虫）も。

南西へ三《キロ》のルクソール神殿は高さ二五《メートル》のラムセス二世の巨像三体と、一対の片方はパリのコンコルド広場に移送されたオベリスクが立つ塔門を抜けると、アメンホテプ三世の大列柱廊に出る。続く本殿の淡褐色の列柱は夕

日に赤く映え美しい。ナイルの西岸は〝死者の都〟と呼ばれ、荒涼とした赤紫色の岩山にファラオたちの岩窟墳墓が散在している。

中王国以来ピラミッドはすたれ、岩窟墳墓が主流となった。王家の谷には第一七〜二〇王朝の六四の王墓があり、第一九王朝セティ一世の墓をはじめ多くの墓の天井や壁面にはびっしり浮彫や壁画が描かれている。唯一盗難を免《まぬか》れ、黄金のマスクなどが出土したツタンカーメンの墓の玄室には、金色に輝く壁画や象形文字が残っている。

山を隔てて、自然の傾斜を利用した三壇のテラスと列柱が最高傑作といわれるハトシェプスト女王葬祭殿や、高さ一八メートルのメムノンの巨像、ラムセウム、貴族の墓、メディネト・ハブ、王妃の谷などがある。

世界最大のカルナック神殿にあるハトシェプスト女王のオベリスク

スペインから日帰りで行ける「アフリカの町」

まだアフリカ大陸を訪れたことのない人に、スペインから日帰りで行けるアフリカの町を紹介したい。ジブラルタル海峡を挟んだ対岸のモロッコのリフ山地にあるテトゥアンで、アフリカにあるスペイン領セウタからバスですぐだ。城壁で囲まれたメディナは迷路のような路地に香料や食料品、衣料、パンなどを売るスークやモスク、王宮が並び、大道芸人、カラフルな民族衣装のベルベル人たちが行き交う、まさしくアラブの町。

だが、家々の壁は眩しいほどの白さで、スペイン・アンダルシアを思わせる。

フランス領だった他のモロッコの町と違って、かつてスペイン領だったからで、アラブとスペインの文化が融合した独特なムードが漂っている。

44 モロッコ 文化

テトゥアン旧市街

交　通　アルヘシラスからフェリーで2時間のセウタからバスで30分
登録名　Medina of Tétouan (formerly known as Titawin)

スペインから日帰りできる唯一の世界遺産テトゥアンの旧市街

45 フェズ旧市街 モロッコ 文化

交　通　カサブランカから列車で五時間
登録名　Medina of Fez

十四世紀に最盛期を迎えたイスラム王朝の古都で今もモロッコの文化と宗教の中心。城壁に囲まれ起伏のある楕円形のメディナ（旧市街）は車が入れない。馬やロバや手押し車が通るだけの細い路地が複雑に入り組む〝世界最大の迷路〟だ。スーク（市場）も中世から変わらない。北アフリカ最大のカラウィン・モスクは世界最古の大学の一つ。緑の四角錐屋根のムーレイ・イドリス廟、九世紀の不朽の門が荘厳なアンダルース・モスク、サファリーン・マドラサ、革なめし場など見どころがある。

46 セレンゲティ国立公園 タンザニア 自然

交　通　アルーシャでサファリツアーに参加する
登録名　Serengeti National Park

マサイ語で「果てしなく広がる平原」の意の標高一六〇〇メートルの高地性草原。アフリカ象にライオン、チーター、ヒョウ、キリン、サイ、ガゼル、インパラなど約三五種、四〇〇万頭の野生動物を観察できるアフリカ随一の動物天国だ。乾季が始まる五月下旬〜六月上旬が旅によく、草食動物が草を求め北のマサイマラ動物保護区へ一五〇〇キロも移動する。一五〇万頭以上のヌーが延々八キロの隊列を組んで移動するのは壮観だ。ライオンやハイエナが身を潜めながら追う光景はまさにアフリカである。

峡谷をつくりながら移動する世界三大瀑布

47 ザンビア/ジンバブエ 自然

モシ・オ・トゥニャ（ヴィクトリアの滝）

交　通　ヨハネスブルクから空路で2時間
登録名　Mosi-oa-Tunya(Victoria Falls)

アフリカ第四の大河、ザンベジ川が中流で、玄武岩の台地の端から一気に落下するヴィクトリアの滝。落差は最大一五〇メートル、幅二〇〇〇メートルもあり、水量は毎分五億リットルに達する。

舞い上がる白い水煙は二〇キロ先からも見えるほど。降り注ぐ水滴は湿潤を好むシダやツル植物など数百種もの植物が周囲とは全く違う相をつくる。

水の流れは川底を浸食して新たな峡谷をつくりながら後退するため、七つの峡谷がジグザグ状に残っている。二五〇万年前には滝は八〇キロ下流にあったという。

長く狭い峡谷に滝がかかる独特の景観

3 ヨーロッパ

(61)テイデ国立公園、(81)カッパドキアは、P85の中央アジア・中東・アフリカの地図に掲載

パリの世界遺産を一二〇%楽しむ"歩き方"

48 フランス 文化
パリのセーヌ河岸

交　通　パリ北駅、リヨン駅などからメトロで10〜15分
登録名　Paris, Banks of the Seine

パリ、プラハ、ブダペスト。いずれも町の中央を川が流れ、コンパスで測ったようにみごとに町を二分している。川と町が一体化した似た者同士の三都だが、川が町を南北に二分しているのはパリだけである。

パリはセーヌ川抜きでは語れない。各通りの番地はセーヌ川と平行に右から左に番号が大きくなり、セーヌ川と垂直に交わる通りはセーヌ川から離れるほど番号が大きくなる。セーヌ川はパリの街路の基点にもなっているのだ。

中洲のシテ島がパリ発祥の地で、パリの名は紀元前三世紀に町造りを始めたケルト系のパリシィ人にちなんでいる。このセーヌのシュリー橋からイエナ橋の間五キロの両岸に散在する、古代ローマから近世までの歴史的建造物が世界遺産に登録されている。

パリの世界遺産散歩の出発点としては右岸の凱旋門がいい。コンコルド広場までの一・九キロ、幅一〇〇メートルのマロニエとプラタナスの並木道、シャンゼリゼ大通りが下り坂になっているからだ。

右手の、グランパレ、プティパレを過ぎ、中央にオベリスクが立つコンコ

チュイルリー公園の池に影を映すコンコルド広場のオベリスク。奥は凱旋門

ルド広場はマリー・アントワネットらがギロチンにかけられた場所だ。左へ折れるとコリント式列柱のマドレーヌ寺院がある。チュイルリー公園を抜け、カルーゼルの凱旋門をくぐると、「モナリザ」「ミロのヴィーナス」など三〇万点を収蔵する世界最大級のルーヴル美術館がある。市庁舎を経て、マレ地区のロアン館、オテル・ラモワニョンへ。中洲のサン・ルイ島に渡るとローザン館やランベール館、サン・ルイ・アン・リル教会がある。

隣りのシテ島には十二世紀から二〇〇年かけて造られたゴシック建築の最高傑作ノートルダム大聖堂が。マリー・アントワネットが閉じ込められたコンシェルジュリ隣りのサント・シャペルには〝聖なる瞳〟と呼ばれるパリ最古のステンドグラスがあり、午後の光が最高の感動を与えてくれる。

裁判所、ポン・ヌフを見て、セーヌ川左岸を西へもどると、オルセー美術館、ブルボン宮がある。アレクサンドル三世橋を左折すると、奥にナポレオンの棺を安置したアンヴァリッドが聳え、近くに陸軍士官学校がある。さらに進むと一八八九年のパリ万博の際に建てられた高さ三二〇メートルのエッフェル塔の下に出る。

対岸のシャイヨー宮から眺めるエッフェル塔が一番美しいといわれる。展望台からは上品なグレー一色のパリの街並みが一望でき、特に夕暮れ時がよい。セーヌ川を下る観光船や定期船からも大半の世界遺産を見ることができる。

春のシテ島とノートルダム大聖堂

ルーブル美術館中庭と入り口のピラミッド

アレクサンドル3世橋とエッフェル塔

ナポレオンの棺を安置するアンヴァリッドオベリスク

太陽王の嫉妬が生んだヨーロッパ最大の宮殿

49 フランス 文化

ヴェルサイユ宮殿と庭園

交　通　パリから列車で14〜30分
登録名　Palace and Park of Versailles

ヴェルサイユはパリの南西二九キロにあり、電車で簡単に行ける。パリの異なる三駅からのルートがあり、RER－C5線（国鉄）が着くリヴ・ゴーシュ駅からが徒歩一〇分と一番近い。

ヴェルサイユ宮殿はフランスが全ヨーロッパに君臨した絶対王制下、太陽王ルイ十四世が建てたバロック建築の傑作で、ヨーロッパ最大の宮殿である。自分の城館よりも臣下のヴォー・ル・ヴィコント城の方がはるかに立派であることを妬ましく思った王が、同城の建物と庭園の設計

シャンデリアと金の燭台があでやかな鏡の間

者を招き、五〇年の歳月と天文学的巨費をかけ、贅の限りを尽くして造ったもので、後のフランス革命の遠因になったともいわれている。男の嫉妬は女のそれより恐ろしい。

一九一九年にヴェルサイユ条約が調印された有名な鏡の間は、奥行き七三《メートル》、幅一〇《メートル》、高さ一二《メートル》の細長い広間。たくさんのシャンデリアが吊られ、金の燭台が並ぶ。五七八枚の鏡が嵌め込まれ、一七の大窓から射し込む光が反射して豪華絢爛。銀の玉座がある謁見室アポロンの間も必見だ。

庭園は十字形の大運河を中心に無数の池、噴水、花壇、彫刻を配した一〇〇ヘクタールものフランス式庭園で、幾何学模様が美しい。広大すぎるので、左回りに園内を一周する〝ルイ十四世お勧めコース〟を行った方がよい。

庭園の右奥にはマリー・アントワネットが好んで住んだワラ葺き農家風田舎家も点在するプチトリアノン宮殿がある。あまり豪華なところでは王妃もくつろげなかったのだろう。

庭園を歩き疲れたらヴェルサイユ随一の豪華ホテル、トリアノン・パレスのカフェテラスでお茶を飲みたい。

プチトリアノンの農家風田舎家

まるで深海の底にいるかのような……

50 フランス 文化

シャルトル大聖堂

交　通　パリから列車で1時間
登録名　Chartres Cathedral

　車窓から麦畑の彼方に双塔が見える。ロダンが〝フランスのアクロポリス〟と称したシャルトル大聖堂だ。

　内部は薄暗いが、一七〇枚ものステンドグラスから射し込む光が聖堂内をブルーに染め、荘厳そのもの。ステンドグラスが〝シャルトルブルー〟と呼ばれる鮮やかな深い青色を基調としているためで、深海の底にでもいるような神秘的な雰囲気。午前は堂内右手の「美しき絵ガラスの聖母」、午後早くは正面の「バラ窓」、午後遅くは左手の「エッセの家系樹」や「聖母子」のステンドグラスに光が当たり美しい。

シャルトルブルーと呼ばれる青が見事

海に浮かぶ美しくて苛酷なカトリックの巡礼地

51 フランス 文化

モン・サン・ミシェルとその湾

交　通　パリ・モンパルナス駅からTGVで2時間のレンヌ駅からバス1時間30分またはパリから日帰りツアー利用
登録名　Mont-Saint-Michel and its Bay

ノルマンディ沖一キロに浮かぶ陸続きの小島に聳え立つベネディクト派修道院。大天使ミカエルのお告げで十世紀に島の岩山の上に僧院が建てられ、カトリックの有名な巡礼地に。何世紀にもわたり、ロマネスクやゴシック様式に拡張され、十四世紀の百年戦争時には要塞に。メルヴェイユ（驚異）と呼ばれる三階建ての教会はゴシックの傑作で、回廊の大理石の列柱が圧巻。潮の干満差が一五メートルと激しく、満潮時は猛烈な勢いで押し寄せる潮にのまれて多くの巡礼者が命を落とした。十九世紀に堤防道路を造ったが、砂が堆積し海に浮かぶ城塞のような奇観は失われた。ユゴーらが絶賛した景観を取りもどすべく、堤防道路を壊し二〇一〇年には橋が架けられる。

まもなく海に浮かぶ修道院が蘇る

どれも見逃せない！　美しい城館がひしめく〝フランスの庭〟

52 フランス 文化
ロワール渓谷

交　通　シュノンソーはトゥールから列車で36分、シュノンソー・シゼソー駅下車徒歩15分
登録名　The Loire Valley between Sully-sur-Loire and Chalonnes

全長一〇二〇キロの大河ロワールの中流、オルレアンからアンジェにかけての二〇〇キロの河畔には、フランス宮廷が世界で最も華美な時代に王や貴族たちが競って建てた三〇〇以上もの華麗な城館が立ち並び、〝フランスの庭〟とも呼ばれている。そのうち、シュリーシュル・ロワールからシャロンヌまでの間にある二三の城館が世界遺産に登録されている。

城館めぐりは、春から秋までパリやブロワ、トゥールから出ている定期観光バスを利用するのが便利だが、時間のある方は列車（一部を除き本数は少ない）でも可能だ。大半の城は駅から徒歩で五～三〇分と近い。

シャンボール城はロワールを代表する城だ。当初、世界遺産に単独登録され、のちに遺産名の変更で他の城館にも拡大された。ソローニュの森の中に突如姿を現わす幅一五六メートル、奥行き一一七メートル、部屋数四四〇というロワール最大の城で、ヴェルサイユに次ぐ規模。二重の螺旋階段で屋上のテラスに登ると、三六五もの煙突と小塔が立ち並び壮観である。

男性的なシャンボールに対し、シュノンソー城は女性的な香りが漂う白亜

の城で、本館と長さ六〇メートルのアーチ形の三階建て回廊がロワールの支流シェール川をまたぎ、その優美な姿を水面に映す。

　代々の城主がみな女性だったことから〝六人の奥方の城〟とも呼ばれている。時間がなく、一つだけ行くならこの城だろう。

　国王アンリ二世にフランス一美しいこの城を与えられた愛妾《あいしょう》のディアンヌ・ド・ポアティエはこげ茶色の髪、白い肌の絶世の美人で、国王より二〇も年上だが、六〇歳になっても三〇歳くらいにしか見えなかったという。

　そのため王妃カトリーヌ・ド・メディシスとの確執は激しく、王が急死すると、カトリーヌはディアンヌからこの城を取り上げ、ディアンヌがかけたアーチ形の橋にも屋根をかけ、ギャラリーに変えてしまった。

川を跨いで立つ、ロワールの城の中でも最も美しいといわれるシュノンソー城

シュノンソー城のディアンヌ・ド・ポアティエ庭園

ロワール川に面して立つアンボワーズ城

ブロワ城のバルコニーを兼ねた大螺旋階段

　他にも、追われたディアンヌが移り住んだ、とんがり帽子の屋根が並ぶメルヘンのようなショーモン城、濠の水面に白い優雅な姿を映し〝ロワールの真珠〟と讃えられるアゼー・ル・リドー城、八角形の大螺旋階段がバルコニーとなっているブロワ城、〝アンボワーズの陰謀事件〟で有名なロワール川を眼下に見下ろすアンボワーズ城、ジャンヌ・ダルクゆかりのシノン城、『眠れる森の美女』の舞台となったユッセ城、幾何学模様の庭園美のヴィランドリー城、ランジェ城、ソミュール城、アンジェ城、ロシュ城、シュヴェルニー城など、一度は訪れたい城館のオンパレードで、時間のない旅行者を悩ますのである。

ヨーロッパ最大の二重の城壁に守られた迷路のような町

53 フランス 文化

歴史的城塞都市カルカッソンヌ

交　通　パリから列車で6時間半、カルカッソンヌ駅下車徒歩20分
登録名　Historic Fortified City of Carcassonne

スペインとの国境に近いブドウ畑の丘の上に、五二の塔が聳え周囲一・二キロの二重の城壁で囲まれた、中世そのままの町がある。紀元前一世紀にローマ軍が築いた砦に西ゴート王国、サラセン帝国、フランク王国と各時代の支配者は城壁を建造、強化し、十三世紀には二重の城壁が完成した。この城壁はヨーロッパ最大のもので、現存する中では二重のものはきわめて珍しい。

シャルルマーニュ大帝の軍に包囲された時には、マダム・カルカスの機転で丸々と太った豚と小麦粉を敵陣に投げ入れ、食料があり余っていると勘違いさせて退散させたという伝説も残っている。シテと呼ばれる迷路のような旧市街（城内）には、今も一〇〇〇人ほどが住み、城壁西側の補強のために建てた九つの塔を持つコムタル城やサン・ナゼール大聖堂がある。

駅から城壁正門のナルボンヌ門までの間にはオード川がある。この川の旧橋からは城壁の全貌が見渡せる。パリ祭の夜、イルミネーションに浮かび上がる城壁は幻想的。シテのレストランで郷土料理のカスレー（白インゲン豆入りシチュー）を味わいたい。

オード川にかかる旧橋から城壁に囲まれた旧市街シテの全景が一望

2重の城壁は他にサンマロくらいでとても珍しい

ローマを〝一日〟で見たいなら……

54 イタリア 文化

ローマ歴史地区、バチカン市国

交　通　テルミニ駅から徒歩10〜45分
登録名　Historic Centre of Rome, the Properties of the Holy See in that City Enjoying Extraterritorial Rights and San Paolo Fuori le Mura/Vatican City

ローマ散策はテルミニ駅からメトロA線に乗り、フラミニオ駅を地上に出た、ローマ旧市街への正門、ポポロ門から始めたい。ゲーテや少年遣欧使節もここからローマに入った。世界遺産が散在する城壁内の旧市街は直径五キロと狭く、歩いて回れる。オベリスクが立つポポロ広場からヴェネツィア広場までの一・六キロがローマのメインストリート、コルソ通りだ。左へ少し入ると、映画『ローマの休日』の舞台スペイン階段と、トレヴィの泉に出る。右に入ると、古代ローマの建造物の中で最も原形を保つ円形ドームのパンテオンとナヴォーナ広場がある。その先のテヴェレ河畔にはサンタンジェロ城があり、ローマ歴史地区とは別の世界遺産に登録されている「バチカン市国」のサン・ピエトロ広場とサン・ピエトロ大聖堂、バチカン美術館、システィーナ礼拝堂などへは徒歩一〇分ほどだ。

ローマの中心ヴェネツィア広場には、白亜の壮大な建築物、ヴィットリオ・エマヌエレ二世記念堂が立つ。その裏手が古代ローマ帝国の遺跡フォロ・ロマーノで、無数の神殿跡の円柱、凱旋門が残る。隣接して古代ロー

バチカン市国のサン・ピエトロ広場とサン・ピエトロ大聖堂

ローマ旧市街の正門ポポロ門。ゲーテや遣欧少年使節もここからローマに入った

円柱や凱旋門が残る古代ローマ帝国の遺跡フォロ・ロマーノ。奥にコロッセオが見える

中央にオベリスクが立つポポロ広場。正面にかすむドームがサン・ピエトロ大聖堂

マ最大の建造物コロッセオとローマ最大のコンスタンティヌスの凱旋門、カエサル（シーザー）ら諸皇帝のフォロ（広場）があったフォーリ・インペリアーリ、真実の口、アウグストゥス帝が造ったマルチェロ劇場がある。モザイクタイルが古代ローマを偲ばせるカラカラ浴場へも一キロほどだ。ここからテルミニ駅に向かう途中には、ローマ四大聖堂のサンジョヴァンニ・イン・ラテラーノ大聖堂とサンタ・マリア・マッジョーレ大聖堂がある。もう一つのサン・パオロ・フォーリ・レ・ムーラ大聖堂は城壁外にあり、規模はサン・ピエトロ大聖堂に次ぐ。テルミニ駅近くのディオクレティアヌス帝浴場跡や市街南はずれのアウレリアヌスの城壁を訪ねても、駆け足なら、「ローマ（観光）は一日にしてなる」か。

55 ピサのドゥオモ広場　イタリア　文化

交通　フィレンツェから列車で一時間
登録名　Piazza del Duomo, Pisa

有名なピサの斜塔は、白大理石の列柱で囲まれた、八層からなるドゥオモの付属鐘楼だ。一一七四年に着工したが地盤沈下のため傾きはじめたので、当初の予定の半分の五五メートルの高さにして十四世紀半ばに完成。

だが傾きは止まらず、今では中心線から四・五メートルも傾斜。頂上へは二九四段の螺旋状階段で登れる。斜塔で実験をしたガリレオはロマネスク様式のドゥオモでも、天井から吊り下げられたランプから振り子の原理を発見している。

56 エオリエ諸島　イタリア　自然

交通　ナポリから船で四～六時間
登録名　Isole Eolie《Aeolian Islands》

シチリア島の北三〇キロに浮かぶヴルカーノ、ストロンボリ、リーパリ、サリーナ、パナレーア、アリクーディ、フィリクーディの七つの火山群島。噴火活動が盛んなヴルカーノ島には大噴火口グラン・クレーターやジェルソ火山があり、東海岸には泥を噴出する海中温泉も。

ストロンボリ島では地中海で活動を続ける海抜九二四メートルのストロンボリ山火口にガイド付きで登れる。

船で海上からのシアーラ・デル・フオコ（火走り）見物もしたい。

57 イタリア 文化

フィレンツェ歴史地区

交　通　ローマから高速列車で１時間30分
登録名　Historic Centre of Florence

ルネサンス芸術発祥の都はすべて歩いて味わえる！

花の都といえばパリだが、その称号はイタリア語の〝花〟（フィオーレ）を語源とするフィレンツェにこそふさわしい。十四〜十五世紀、メディチ家の富と権力を背景にルネサンスの芸術の花がこの町で開き、広がっていった。

アルノ川南岸の丘の上にある展望台、ミケランジェロ広場からはルネサンス発祥の地フィレンツェの旧市街が一望できる。赤茶色に統一された屋根の波が広がっているが、建物はほぼ同じ高さに揃っている。世界各地の美しい家並みの原点を見る思いがする。

その高さ制限を無視するかのごとく聳え立つのは、ドゥオモとジョットの鐘楼、ヴェッキオ宮の三つのみ。市の中心の赤い大クーポラ（ドーム）が圧倒的存在感を見せつけるのが花の聖母寺ことドゥオモ。一四〇年余りかけて造られた、緑、ピンク、白の色大理石が美しい、女性的な感じのする大寺院だ。大きな丸天井のドーム屋上テラスからは市街が一望できる。

ドゥオモ横のジョットの鐘楼はダンテが『神曲』で絶賛した高さ八四《メートル》、四角形の塔で、最上階のテラスへは階段を四一四段登る。

ミケランジェロ広場からのフィレンツェの夕景。3つの建物だけが高さの統一を破る

橋上に金細工店が並ぶ2階建てのヴェッキオ橋

世界有数のウフィツィ美術館

ドゥオモとジョットの鐘楼（手前の塔）

ダヴィデ像が立つシニョーリア広場に面したヴェッキオ宮は、フィレンツェ共和国時代の政庁舎でロムーネ（自治都市）としての力を示すため、高さ九四メートルの鐘楼が建てられている。

一平方キロ内にこれほど膨大な美術品のある町は世界に例がなく、サンタ・マリア・ノヴェッラ教会や捨て子養育院、サン・ロレンツォ教会、メディチ・リッカルディ宮、ウフィツィ美術館、サンタ・クローチェ教会、ヴェッキオ橋、ピッティ宮、ボボリ庭園などの世界遺産めぐりは歩いてできる。

また、フィレンツェはグルメの都。フィレンツェ風ビフテキや名ワイン、ブルネッロ・ディ・モンタルチーノなどを味わいたい。

世界唯一の、車が一台も走らない水上都市

58 イタリア 文化

ヴェネツィアとその潟

交　通　ローマから高速列車で4時間30分
登録名　Venice and its Lagoon

アドリア海最奥部に浮かぶ一一八の潟（小島）を四〇〇の橋で結び、大小一五〇もの運河を巡らせた水の都ヴェネツィアは世界で唯一、車の走っていない都市（人口三五万）である。自動車全盛時代の今日、車が走らない都市を想像できるだろうか。

道路の代わりとなっているのが運河で、幅三〇～七〇メートルの大運河が四キロにわたり、逆S字型に市の中央を流れている。これが市の大動脈で、ここから網の目のように大小無数の運河が張り巡らされている。運河を走るのは乗り合いボートの水上バス（ヴァポレット）やゴンドラ、モーターボート、水上トラック（運搬船）で、警察、消防も船である。橋と橋をつなぐ道はあるが狭く、歩行者専用である。

アプローチは列車がいい。右も左も海という景色の中を四キロも走り、ドラマチックだ。サンタルチア駅に降り立つと、駅前広場の正面が大運河で、ここから各系統の水上バスに乗り、市内各所に向かう。

大運河に面してヴェネツィアが〝アドリア海の女王〟と呼ばれた十四～十

列車は4kmも海の中を走りヴェネツィアへ

サンタルチア駅前の正面は運河

パトカーも消防・救急も花屋さんも船

サンマルコ広場の黄金のバジリカ、サンマルコ寺院

六世紀の宮殿や邸宅、ヴェンドラミン・カレルジ宮、カー・ドーロ、グリマーニ館などが立ち並び、目をみはる。白大理石造りの美しいアーチ橋のリアルト橋近くの魚市場には対岸までの住民用のゴンドラの渡し舟があり、安くゴンドラ体験ができる。

市の中心のサンマルコ広場は、世界で最も美しい広場の一つといわれ、〝黄金のバジリカ〟と呼ばれるサンマルコ寺院やドゥカーレ宮殿がある。ヴェネツィアグラスで有名なムラーノ島やブラーノ島にも渡りたい。

ヴェネツィアは葦が茂る潟を干拓し、木の杭を地中に打ち込んで造られた町なので、地盤沈下が著しく、しばしば海水による水害に見舞われる。世界でも稀に見るユニークな水上都市は、水没の危機に瀕しているのである。

対岸までの住民用のゴンドラは観光客も安く乗れる

高さ100mの鐘楼からのサンマルコ広場

大運河を行くヴォポレットとゴンドラ

59 イタリア 文化

ポンペイ、エルコラーノ、トッレ・アヌンツィアータの遺跡

交　通　ナポリから列車で20分でエルコラーノ、35分でポンペイ
登録名　Archaeological Areas of Pompei ,Herculaneum and Torre Annunziata

居酒屋、市場、浴場……古代ローマにタイムスリップ

人口二万の富裕都市だったポンペイは、紀元七九年のヴェスヴィオ火山の大噴火によって、一瞬にして火山灰に埋まったため、奇跡的に当時の姿が今も残っている。

轍《わだち》の残る石畳の道が続く東西八〇〇《メートル》、南北六〇〇《メートル》の市街、豪華な邸宅、パン屋、居酒屋、市場、公共浴場などが発掘され、タイムスリップしたように当時の市民生活がうかがい知れる。

逃げようとして息絶えた人の遺体の表情までが石こうでかたどられていて、悲しみを誘う。溶岩流にも襲われた住宅街エルコラーノでは鹿の家、トッレ・アヌンツィアータでは別荘の壁画が見もの。

轍が残る石畳が続くポンペイは
2000年前のタイムカプセル

多くの街を埋め尽くしたヴェスヴィオ火山山頂からはナポリも指呼の間

ポンペイに比べこじんまりとしたエルコラーノ遺跡とヴェスヴィオ火山

かわいい円錐屋根が林立する〝メルヘンの町〟

60 イタリア 文化

アルベロベッロのトゥルッリ

交　通　バーリから私鉄で1時間
登録名　The Trulli of Alberobello

南イタリアのプーリア地方には、まっ白に塗られた壁、黒い石灰岩の平たい石を何層も円錐形に積み上げたコミカルな屋根の民家が点在している。〝トゥルッリ〟と呼ばれるこの地方独特の家だ。

アルベロベッロ（美しい樹々の意）の町には一〇〇〇軒ものトゥルッリが林立し、まるでアフリカの集落に迷い込んだかのようである。

ユニークなのは一部屋に必ず一つの屋根が付いていることで、このユニットをトゥルッロと呼ぶ。トゥルッロがいくつか集まって一軒の家を形成しており、複数形となってトゥルッリ（語源はギリシャ語でドームの意）となるのである。世界広しといえども、屋根を見れば部屋数がわかるのはトゥルッリだけだろう。

ローマからは列車で一日がかりと遠い、アドリア海側の秘境だが、ギリシャからのフェリーが着くブリンディシからは近く、イタリアに上陸した最初の晩にアルベロベッロに旅装を解くこともできる。ミニ・トゥルッリが土産に人気だ。近くの世界遺産・マテーラの洞窟住居と一緒に訪れるといい。

表通りは土産店や飲食店が多いが、裏通りは住民の生活が垣間見れる

トゥルッリが立ち並ぶアルベロベッロの全景

大西洋に浮かぶスペイン最高峰の火山

61 スペイン（カナリア諸島） 自然

テイデ国立公園

交　通　プエルト・デ・ラ・クルス、プラヤ・デ・ラス・アメリカスからバス。さらにロープウェー
登録名　Teide National Park

　スペイン本土の西南一〇〇〇キロの、モロッコ、北サハラ沖の大西洋に浮かぶカナリア諸島はグラン・カナリア、テネリフェ、ランサロテ、ゴメラなど七つの島々からなる火山島群。冬も暖かい常春の地で、山岳風景の美しさはハワイと双璧といえる世界的リゾートである。諸島最大の島テネリフェの中央に聳えるのが冬は雪を頂く、標高三七一八メートルのテイデ山で、スペインの最高峰である。世界最大級のカルデラ「カニャダス」クレーターがあり、南の絶壁は二〇〇〇メートル以上に達する。標高二二〇〇メートルにあるパラドール（国営ホテル）を経て、巨岩、巨石が見られるバス終点（標高二三五六メートル）からテイデ山頂近くの三五五五メートルまでロープウェーで行くことができる。

　頂上まで登れるが登山許可の申請が必要だ。高山病に注意。標高差が大きいため、一四〇種もの固有種の植物が垂直に分布し、ほうき状に群生する黄色い花のイエルバ・パホネラやカナリー松、すみれ、トカゲの一種でこの土地特有のラガルト・テイソン、チョウゲンポウ、モズなど貴重な動植物の宝庫になっている。

テイデ山山頂には世界最大のカルデラが広がる

テイデ山山頂は雪でも、プエルト・デ・ラ・クルスの海岸は海水浴できる

62 スペイン 文化

グラナダのアルハンブラ、ヘネラリーフェとアルバイシン

交　通　マドリードから列車で5時間
登録名　Alhambra, Generalife and Albayzín, Granada

一歩足を踏み入れると千夜一夜物語の世界

アラビア語でザクロを意味するグラナダはアンダルシア地方にあり、雪を頂くシエラ・ネバダ山脈北麓の沃野に位置する。乾燥したスペインでは珍しく、水に恵まれた緑の多い美しい町である。

八〇〇年も続いたスペインのイスラム王朝もキリスト教徒により次々と領土を失い、残るはグラナダだけとなった。しかし、滅びゆくイスラム芸術の華を咲かせ続けた最後の王国も一四九二年に陥落する。

最後の王が落ち行く際、振り返って惜別の思いに涙したというアルハンブラ宮殿は、外から見ただけでは丘の上に広がる何の変哲もない、ただの巨大な砦である。

が、イスラム建築は裏が表で、表が裏。宮殿に足を踏み入れると、そこはアラビアンナイトの千夜一夜物語の世界。イスラム芸術の粋を集めた華麗な部屋が続いて息をのむ。

王の謁見が行なわれた「大使の間」や「二姉妹の間」「メスアールの間」などは繊細なアラベスク模様とモザイクタイル、モカラベと呼ばれる鍾乳石

124本もの大理石の柱に囲まれたライオンの中庭

水をふんだんに使った庭園ヘネラリーフェは糸杉が美しい

飾りが天井や壁をギッシリと埋め尽くし、異様な美しさを醸し出している。

一二四本の大理石の柱が林立する回廊の中央に、一二頭の石のライオンに支えられた噴水があるライオンの中庭は、柱間の上部のアーチにまるでレースのような緻密な装飾が施され、イスラム芸術の極致を見る思い。

この中庭から先はハーレムで、王以外の男は立ち入り禁止だったが、八人の男がその禁を破り、打ち首になっている。

宮殿から離れたヘネラリーフェは夏の離宮で、糸杉の散歩道をたどると、シエラ・ネバダ山脈から引いた水をふんだんに使った庭園に出る。

細長い池の両側にスラリと伸びた糸杉

と緑の生垣を配したアセキアの中庭が白眉で、大小の噴水が飛沫をあげ、日本人の感性にも訴えるものがある。

ダーロ川の渓谷を挟んで宮殿と対岸の丘陵に広がるのが、アラブ人たちの居住区だったアルバイシンで、グラナダ最古の地区である。今でも迷路のような石畳の坂道が続き、白壁、茶色の屋根のアラブ風の古い家並みが往時を偲ばせる。

サン・ニコラス教会前の広場からは、シエラ・ネバダ山脈を背景にしたアルハンブラの全景が一望できる。

夕刻には宮殿が〝赤い城〟の名の通り赤く染まり、感動的である。

アルハンブラ宮殿から眼下のアルバイシン地区が一望できる

63 スペイン 文化
古都トレド

交通　マドリード・アトーチャ駅から高速列車 AVANT で30分
登録名　Historic City of Toledo

スペインの宮廷画家エル・グレコが愛した土色の街

マドリードの南七〇キロにある古都トレド。タホ川が自然の濠となって三方を囲み一方を城壁に守られた土色の丘陵に、同じ色の家々がギッシリとひしめき合う。西ゴート王国の都として栄え、八～十一世紀はイスラム王朝の支配下に入るが、キリスト教徒が奪還してからは五〇〇年もの間、スペインの首都として繁栄した。このような複雑な歴史から、市内にはイスラム教、キリスト教、ユダヤ教の遺跡、建物が渾然一体となって残り、迷路のように狭く曲がりくねった石畳の坂道が続く旧市街には独特の雰囲気が漂う。

特にイスラム教とキリスト教の文化が融合した馬蹄形アーチと幾何学・植物模様が特徴のムデハル様式の建物が多い。グレコ（ギリシャ人の意）の『オルガス伯の埋葬』があるサント・トメ教会はその代表だ。

旧市街の散策だけでなく、町入口のアルカンタラ橋から反対側のサン・マルティン橋まで、高所から旧市街を見下ろすタホ川沿いの大パノラマコースを歩きたい。パラドール下の南側の展望台からは、スペインの宮廷画家であったグレコが描いた『トレドの景観』そのままの旧市街が一望できる。

の鐘楼。トレド最古のサンタ・マリア・ラ・ブランカ教会も訪れたい

展望台からのタホ川とトレド旧市街。右はアルカーサル（城塞）、尖塔はカテドラル

カリヨンの音色が響く〝水の都〟は格別の美しさ

64 ベルギー 文化

ブリュージュ歴史地区

交　通　ブリュッセルから列車で1時間
登録名　Historic Centre of Brugge

一一八〇年までフランドル地方の首都であったベルギー北西部の古都。中世には毛織物業と商業で栄えたハンザ同盟都市で、十三〜十四世紀にはヨーロッパ最大の市場として黄金時代を迎えた。ブルゴーニュ公の庇護のもと、多くの画家が活躍し、北方ルネサンスの芸術を開花させたブリュージュも、十五世紀末には港が土砂で埋まって、繁栄にピリオドが打たれた。そのため、教会や尖塔の多い石畳の中世の街並みが奇跡的に残り、屋根のない博物館として、ヨーロッパで最も美しい町の一つに数えられている。

フラマン語の市名〝ブルッヘ〟は橋の意味。卵形の旧市街を縦横に走る運河には五〇以上の橋がかかり、〝北のヴェネツィア〟〝水の都〟の名をほしいままにしている。運河沿いのダイバー通りは三重並木越しに古い家並みが続く、最も美しい一角で、夜のイルミネーションは幻想的。その先の魚市場にかけての運河沿いが水の都ブリュージュの典型的な風景で、蔦《つた》の絡まるレンガ屋根、白壁の古い館などを船上から眺める観光船が出ている。

旧市街の中心のマルクト広場は鐘楼（「ベルギーとフランスの鐘楼群」と

緑も美しい運河。塔はマルクト広場の鐘楼

いう別の世界遺産に登録）や、切妻屋根のギルド（同業者組合）ハウス群に囲まれたヨーロッパ有数の美しい広場。十三〜十六世紀建造の高さ八三《メートル》の鐘楼へは三六六段のらせん階段で登れ、旧市街とフランドル平原が一望できる。四七の鐘からなるカリヨンの音色は、ヨーロッパで最も有名である。

　近くのブルフ広場には十四世紀建造のベルギー最古の石造りの市庁舎や聖血礼拝堂がある。修道女たちが中世と変わらぬ生活を営むベギン会修道院は「フランドル地方のベギン会修道院群」という別の世界遺産に登録されている。赤いさくらんぼ、木イチゴ、カシスのビールやアルコール度の高いトラピストビールなど、ビールの国ならではの珍しいビールも飲める。

ジャン・コクトー、ヴィクトル・ユゴーが讃えた美しい広場

65 ベルギー 文化

ブリュッセルのグランプラス

交　通　ブリュッセル中央駅から徒歩5分
登録名　La Grand-Place, Brussels

グランプラスは十五世紀に建造されたゴシックとバロックの建築群に囲まれた一一〇メートル×六九メートルの石畳の広場。

建物の大半は肉屋、パン屋、洋服屋、大工、船乗りなどの華麗なギルドハウスだ。高さ九六メートルの尖塔が聳える市庁舎の四二〇段の階段を登ると、眼下の広場と市街が一望できる。王の家の横の路地を入ると、食堂横丁があり、仏・ベルギー料理店がズラリ数十軒も並ぶ。ブラバン公からの広場の眺めが一番で、ヴィクトル・ユゴーは〝世界でもっともみごとな広場〟、ジャン・コクトーは〝絢爛たる劇場〟と讃えた。

肉屋、パン屋が入っているとは思えない華麗さ

荘厳なバロック建築が並ぶ音楽とスウィーツの都

66 オーストリア 文化

ウィーン歴史地区、シェーンブルン宮殿と庭園

交　通　ウィーン西駅、南駅、空港から地下鉄、市電、国鉄で10～30分
登録名　Historic Centre of Vienna/Palace and Gardens of Schönbrunn

ヨーロッパに君臨したハプスブルク帝国の都ウィーンの城壁跡に造られた環状道路、リンク沿いを中心にバロック以降の建造物群が世界遺産に登録されている。まずは右回りの市電一番に乗り、リンク沿いの建物を眺めながら一周したい。内部見学ツアーもある、国立オペラ劇場から乗車しよう。

右座席に座ると、王宮庭園のモーツァルト像を経て、壮大なホーフブルク（王宮）へ。宝物館が見もので、日曜には王宮礼拝堂でウィーン・フィルとウィーン少年合唱団によるミサが聞ける。エリザベート王妃（シシィ）像のある国民公園、ドイツ語圏で最も格調の高いブルク劇場、オットー・ワーグナー設計の郵便貯金局を見て、一周。

左座席に移ると、欧州屈指の美術史美術館、国会議事堂、一〇七《メートル》の塔が立つネオゴシックの壮麗な市庁舎、一三六五年創立のドイツ語圏最古のウィーン大学、フォティーフ教会、野外コンサートがある市立公園、ベートーベン像が車窓に。二周したら下車すると音響抜群の世界三大ホールの楽友協会、バロック様式のカールス教会、ユーゲントシュティール（アールヌーボー）

シュテファン寺院の屋根のモザイク模様　豪華絢爛な国立オペラ劇場の観覧席

グロリエッテからのシェーンブルン宮殿と庭園

王宮礼拝堂でのミサが終わるとウィーン少年合唱団に会え、記念撮影もできる

オットー・ワーグナー作のカールスプラッツ駅舎　花で作られたト音記号とモーツァルト像

様式の本拠地セセッションと代表作の地下鉄カールスプラッツ駅舎が。

リンク内には一三七メートルの尖塔が聳えるゴシック式のシュテファン寺院とバロック式のペーター教会が、南駅への途中にはクリムトの作品の宝庫、ベルヴェデーレ宮殿がある。四〇〇〇種もある甘い伝統的ケーキの本場で、デーメル、ハイナーなどの皇帝御用達カフェでお茶したい。本場クラシック生演奏のカフェも。

別の世界遺産「シェーンブルン宮殿と庭園」は美しい泉を意味する、一四四一室もある壮大な夏の離宮で、リンクの南西五キロにある。大広間や鏡の間などの内装はヴェルサイユに劣らないほどの壮麗なロココ式である。

67 オーストリア 文化

ハルシュタットの文化的景観

交　通　バートイシュルから列車で27分、ハルシュタット駅下車。連絡船で10分
登録名　Hallstatt-Dachstein Salzkammergut Cultural Landscape

絶壁にしがみつくように広がる湖畔の町へは連絡船で

二〇〇〇メートル級の東アルプスの峰々に囲まれた丘陵に、アルプスの氷河が造った大小七六もの湖水が散在している。ここがザルツカンマーグート（塩の宝庫）と呼ばれる湖水地帯で、映画『サウンド・オブ・ミュージック』の舞台にもなっている。

列車で南下すると、右手に、〝ザルツカンマーグートの真珠〟と呼ばれるハルシュタット湖が現われる。標高二九九五メートルのダッハシュタイン連峰の絶壁が岸に迫り、深い藍色をたたえる。

ハルシュタット駅で降り、接続の連絡船で対岸の、絶壁にしがみつくように広がるハルシュタットの町に向かう。この船でのアプローチが筆舌に尽くしがたいほどすばらしい。

世界で最も美しい湖畔の町といわれるハルシュタットの街並みが、船が進むにつれ、広角からズームとなり、間近に迫る。

町の中心のマルクト広場は蔦や花に覆われた家々が並び、絵のように美しい。ケルト文化の発祥地といわれ紀元前十八世紀からの岩塩鉱が見学できる。

猫の額ほどの土地にしがみつくように街並みがある

ゴーザウ湖に影を映すダッハシュタイン

対岸のハルシュタット駅からのハルシュタットの街の全景。ここから連絡船で渡れる

68 ドイツ 文化

ライン渓谷中流上部

交　通　リューデスハイムからザンクト・ゴアールまでライン下り観光船で1時間30分
登録名　Upper Middle Rhine Valley

ロマンチック・ラインを下りながら並ぶ古城群を楽しもう

全長一三二〇キロのライン川の、ドイツ・ビンゲン～コブレンツ間六五キロはロマンチック・ラインとも呼ばれ、ブドウ畑が広がる両岸の段丘上には古城やその廃墟が点在している。観光船のデッキチェアに横たわり、ラインワインのグラスを傾けながら、次々と通り過ぎる古城を眺めるといい。

ビンゲンを過ぎると、中洲に立つ、ネズミの塔。残酷な領主がネズミの大群にこの塔に追い詰められ、食い殺されたという伝説がある。右に赤ワインの街アスマンスハウゼン、左には十世紀の古城ラインシュタイン城、ライン最古のライヒェンシュタイン城、ゾーネック城と三つ城が続き、右には十三世紀のエーレンフェルス城址とロルホの街が。

左岸のバハラッハの街の丘の上に十二世紀の尖塔が聳えるシュターレック城、右手には三五の望楼を持つグーテンフェルス城、左には七人の美しい乙女の伝説があり、いくつも見張り塔があるシェーンブルク城が。

川幅が一〇〇メートルと狭くなったところがライン随一の船の難所のローレライ。右岸の高さ一三二メートルの巨大な岩で「ローレライ」のメロディが流れる。

ライン左岸の城は人気のユースホステルとなっているシュターレック城

川の中に立つ軍艦のようなファルツ城は現在の道路料金所

数々の伝説が残る町で十六世紀の木組み民家に泊まる！

69 ドイツ 文化

ランメルスベルク鉱山と古都ゴスラー

交　通　ハノーファーから列車で1時間20分
登録名　Mines of Rammelsberg and Historic Town of Goslar

ゴスラーはハルツ山脈北麓にあるランメルスベルク鉱山で栄えた町だ。ハルツ山は鬱蒼たる木々と霧に包まれた神秘の山で、ほうきにまたがった魔女が悪魔と酒盛りするために集まったという伝説が残る。

ゴスラー繁栄のもととなった銀鉱についても、騎士の愛馬が蹄で掻いた地面を掘ったら、銀鉱石が見つかったという、まるで「花咲かじじい」のような伝説が残っている。鉱山からは一九八八年まで一〇〇〇年以上も銀や鉛が採れ続け、良質なことから神聖ローマ帝国の貨幣の材料として用いられた。

十一世紀に神聖ローマ帝国皇帝ハインリッヒ二世は鉱山そばに皇帝居城を築く。この宮殿で帝国議会が開かれることになり、ドイツやヨーロッパの中心に。ハンザ同盟にも加入し、十五〜十六世紀には最盛期を迎えた。

当時を偲ばせるのが、楕円形に広がる旧市街の中心、マルクト広場に面して立つ後期ゴシック様式のギルド会館や市庁舎だ。

カラフルな元ラシャ商人のギルド会館は一四九四年の創建で、二階の外壁に皇帝の像が配されていることからカイザー・ヴォルトと呼ばれ、今は同名のホテルとなっている。

市庁舎の信奉の広間では鉱山で採れた銀細工の傑作とされる水差しが見ものだ。

広場の周辺には十五～十六世紀の木造建築が多い。旧市街の建物約一五〇〇軒のうち、三分の二が第一次大戦前のもので、そのほとんどが木組みの家である。

うち、一七〇軒ほどは一五五〇年以前に建てられたもので、傾いて今にも倒れそうな家も多い。木組みの壁には彩色された彫刻などの装飾が丹念に施されていて、一軒一軒がまるで芸術品のようである。特にジーメンスハウスや一五七三年建造のホテル「ツアー・ベーゼ」の外観はみごとである。

ホテルからゴーゼ川を渡った対岸の高台に皇帝居城があり、議会が開かれた二階の帝国の間には、ドイツの栄光の歴史を物語る巨大な壁画が描かれている。


彩色された彫刻もみごとな木組みの建物が立ち並ぶ

エルベのフィレンツェからザクセンのスイスへ

70 ドイツ 文化

ドレスデン・エルベ渓谷

交通　ベルリンから列車で1時間40分、エルベ渓谷へはさらに24分ピルナ駅下車
登録名　Dresden Elbe Valley

　ドレスデンからチェコ国境近くの、ザクセンのスイスまで約二〇キロのエルベ川の渓谷。エルベ川が市街中央を流れる、ザクセン王国の都ドレスデンはドイツ一美しい街だったが、連合軍の大空襲で壊滅的被害を受けた。ランドマークだったフラウエン（聖母）教会や欧州屈指のゼンパー歌劇場など主な建造物は修復され、〝エルベのフィレンツェ〟は往時の輝きを取りもどした。

　エルベ河畔の散歩道で、川の反対側には壮麗なバロックの尖塔群が立ち並ぶブリュールのテラスはゲーテが〝ヨーロッパのバルコニー〟と称賛した。旧カトリック宮廷教会隣のドレスデン王宮では奇跡的に無傷だった、回廊の「君主の行列」が必見。二万七〇〇〇枚のマイセン磁器のタイルで描いた高さ八メートル、長さ一〇二メートルの壮大な壁画だ。バロック建築の最高峰、ツヴィンガー宮殿の陶磁器コレクションも見もの。〝青い不思議〟橋や、夏の離宮、ピルニッツ宮殿を経て、ザクセンのスイスへ。砂岩が浸食されて、断崖絶壁をなし、その中心のバスタイは高さ二〇〇メートルの奇峰群がまるでくしの歯のように林立し、眼下の弧を描くエルベの眺めも絶景だ。

堀に囲まれたツヴィンガー宮殿。王冠が印象的　“エルベのフィレンツェ”を代表する風景

マイセン磁器で描かれた、王宮回廊の壮大な壁画「君主の行列」

弧を描くエルベ川とザクセンのスイスの奇岩

ザクセンのスイスの中心、バスタイの奇岩群にかかる石の橋

ベルナー・オーバーラント三山とアルプス最長の氷河

71 スイス 自然

ユングフラウ・アレッチ・ビーチホルン

交通　グリンデルヴァルトから登山電車で1時間35分ユングフラウ・ヨッホ駅下車
登録名　Jungfrau-Aletsch-Bietschhorn

ベルナー・オーバーラントのアイガー（三九七〇メートル）、メンヒ（四〇九九メートル）、ユングフラウ（四一五四メートル）の三山をはじめ、グレッチャーホルン（三九八三メートル）、フィンスターアールホルン（四二七四メートル）など計九つの標高四〇〇〇メートル前後の山頂を含む氷河の景観と動植物層が登録されている。アイガー山麓に広がる標高一〇五四メートルのグリンデルヴァルトはヴェッターホルン（三七〇一メートル）とアイガー北壁が目の前に聳え、周りは緑の牧草地が広がり、カウベルの音が響くのどかな風景が展開している。

登山電車でアイガー山腹を突き貫く七キロのトンネルに入り、アイスメーア駅ではフィッシャー氷河とシュレックホルン（四〇七八メートル）が見える。終点のユングフラウ・ヨッホ駅は標高三四五四メートルで鉄道駅としては欧州最高所。左のユングフラウ山頂と右へカーブしながら延びるアルプス最長（二七キロ）のアレッチ氷河の三六〇度の大パノラマが。ラウターブルンネン谷の崖上にへばりつくように広がる標高一六四五メートルの村ミューレンからは対岸のアイガー氷河を抱くアイガー、メンヒ、ユングフラウの三山が足下から見え壮観だ。

その名の通り緑が美しい初夏のグリンデルヴァルトとアイガーの雄姿

氷河を抱くシュレックホルン(左)

ミューレンからのアイガー(左)とアイガー氷河

シルトホルンからは左からアイガー、メンヒ、ユングフラウと氷河が一望

フィヨルドに落ち込む落差三〇〇メートルの滝を至近距離で！

72 ノルウェー 自然

西ノルウェーフィヨルド群・ガイランゲルフィヨルドとネーロイフィヨルド

交　通　フロームからフェリーでグドヴァンゲンまで2時間、ガイランゲルからヘレシルトまでフェリーで1時間10分
登録名　West Norwegian Fjords-Geirangerfjord and Nærøyfjord

一〇〇万年前、氷河が浸食してできたU字谷に海水が侵入してできたフィヨルドは万年雪の山々、複雑な海岸線、無数の島々からなるノルウェー自然美の極致。ガイランゲルフィヨルドへのアプローチはゴールデンルートと呼ばれる、フィヨルドを渡る山越えの道で、滝が落ちる急勾配のヘアピンカーブが続く〝魔物の山道〟が圧巻だ。突然、眼下に青いフィヨルドが現われ、つづら折れの断崖の坂道を水面まで降りていく。

ガイランゲルからヘレシルトまでのフェリーからは「ガイランゲルに牧師は要らない。フィヨルドが神の言葉を語るから」と絶賛された神秘の断崖絶壁が続く。断崖には七人の姉妹や求婚者、花嫁のベールと名付けられた落差三〇〇メートル近い無数の滝がしぶきがかかるくらい近い至近距離で眺められる。

ネーロイフィヨルドは長さ二〇〇キロ、深さ一三〇〇メートルの世界最大の、ソグネフィヨルド最奥の支谷の一つ。ベルゲン鉄道のミュールダルからフィヨルドに面したフロームまで標高差三六七メートルの山岳鉄道を下り、グドヴァンゲン行きフェリーに乗船する。

ソグネフィョルドの支谷ネーロイフィョルドは幅250mとまさに峡湾

直立断崖に無数の滝がかかるガイランゲルフィョルド

アウールランフィヨルドが終わると、小さな美しい村々が点在するのどかな風景が続く長さ二〇キロのネーロイフィヨルドだ。透き通った鏡のような水面に、そそり立つ一二〇〇以上の峰々から無数の滝が直接フィヨルドに落ち込み、まさにグリーグの『ペールギュント』の世界。一番幅の狭いところは二五〇メートルしかない。まさに峡湾（フィヨルド）だ。

フェリーは七人の姉妹の間際まで行く

ゴールデンルートを南下すると突然ガイランゲルフィヨルドの青い水面が

世界遺産第一号の〝ポーランドの京都〟

73 ポーランド 文化

クラクフ歴史地区

交　通　ワルシャワから列車で2時間30分、クラクフ中央駅下車、徒歩5分
登録名　Cracow's Historic Centre

ポーランドの全盛期であるヤギエウォ王朝時代（一三八六～一五七二年）のポーランド王国の首都。ドイツ軍はナチスの施設があったがゆえ、連合軍は京都と同じ理由で爆撃を避けたため、壊滅的被害を受けたワルシャワとは対照的に戦禍を免れた。そのため、一九七八年の、最初の世界遺産登録一二か所のうちの一つという栄誉を得た。ヨーロッパの街では第一号である。

十三～十五世紀建造の城壁は周囲四キロの緑地帯となっていて、トルコ軍の侵攻に備えて一四九九年に造られた馬蹄形の砦バルバカンと北の門フロリアンスカ門だけが残っている。

旧市街の中央市場広場は十四～十六世紀建造の建物に囲まれた四万平方メートルもの広大な正方形の広場で、中世から残る広場としてはヨーロッパ最大級だ。その中央に立つ織物会館は長さ一〇〇メートルにも及ぶ、十四世紀にできたルネサンス様式の建物で、布地や衣服の交易所であった。今は土産物店街とカフェになっている。隣りの旧市庁舎は大時計がついた塔だけが残る。

広場に面した聖マリア教会は、高さ八〇メートルの二本の尖塔が聳え立つ十五世

紀のゴシック建築。

また、モンゴル軍がクラクフを襲った時、塔上のラッパ手が来襲を知らせるラッパを吹き鳴らしたが、モンゴル兵に矢で射られたため、ラッパは途中で鳴り止んだ。今でも時報代わりにラッパが一時間ごとに吹き鳴らされるが、演奏は途中で止む。

広場の一角には、一三六四年創業のポーランド最古で最も格式あるレストラン「ヴィエジネック」がある。

広場西の、赤レンガ造りのゴシック建築コレギウム・マイウスは一三六四年創立のヤギエウォ大学で、今は大学博物館。

ヴィスワ河畔に立つ壮大なヴァヴェル城はポーランド歴代王の居城で、大聖堂のジグムント塔に同国最大の鐘がある。鐘の中心を左手で触ると再訪できるという伝説がある。私もクラクフは四回も訪れているので、この伝説は信じていいかもしれない。

塔上が異なる造りの双塔、聖マリア教会

中世の広場ではヨーロッパ最大級の中央市場広場の織物会館と旧市庁舎の塔

ヴィスワ川に影を映す、もやに包まれたヴァヴェル城

モルダウ川を望む旧市街の美しさはヨーロッパ随一

74 チェコ 文化

プラハ歴史地区

交通　ウィーンから列車で5時間
登録名　Historic Centre of Prague

一〇〇〇年の歴史を持つ古都。市街中央をヴルタヴァ（モルダウ）川が南北に流れる。右岸の旧市街にはロマネスクからゴシック、ルネサンス、バロック、アールヌーボーまで、あらゆる建築様式の建物約三五〇〇軒がギッシリと立ち並ぶ。

かつてはヨーロッパ一繁栄していた中世の街並みを今日も残しているのは大都市ではきわめて稀である。赤い屋根が続き、塔が林立することから、〝百塔の町〟とも呼ばれる。

十四世紀にボヘミア王が神聖ローマ帝国皇帝になると、カレル（カール）四世と名乗り、ヨーロッパ中から一流の名建築家と芸術家を集め、町造りに着手。皇帝の名を冠したカレル大学やカレル橋、旧市庁舎、プラハ城内の聖ヴィート大聖堂など、プラハの世界遺産の核をなすものばかりである。

カロリヌムは一三四八年にカレル四世が創立したカレル大学の本部で、ゴシック様式の出窓だけが残る。宗教改革のヤン・フス像が立つ旧市街広場には、仕掛け時計塔の高さ七〇メートルの展望台から旧市街が一望できる旧市庁舎、

旧市街広場の旧市庁舎は塔上に登れる　カレル橋の橋塔にも登れる

ヴルタヴァ川にかかるカレル橋と対岸の丘に聳えるプラハ城

ゴシック様式の二本の尖塔が聳えるティーン教会、ゴルツ・キンスキー宮殿がある。旧市街東側の火薬塔そばにはムーハ（ミュシャ）作の装飾がすばらしいアールヌーボーの市公会堂がある。広場北側のユダヤ人地区には、現存するヨーロッパ最古の新・旧シナゴーグと旧ユダヤ人墓地がある。

ヴルタヴァ川にかかるカレル橋は、カレル四世が一三五七年に着工、十五世紀初頭完成した長さ五二〇メートルの石橋で、橋の両詰にはゴシック様式の橋塔が聳え、橋の欄干には三〇の聖人のバロック式石像が立ち並ぶ。

石畳の橋を渡ると、正面右の丘の上に壮大なプラハ城が見える。渡り終えると〝プラハのバロック〟の代表、聖ミクラーシュ教会に出る。

フラチャニの丘から町を見下ろすプラハ城は、九世紀の砦に始まり、二十世紀初めまで一〇〇〇年もかけて増改築を重ねた壮麗な城で、現在はバロック様式に。城内の聖ヴィート大聖堂はゴシック様式で、ムーハ作のアールヌーボーのステンドグラスの数々はヨーロッパ屈指の美しさで、訪れる者を魅了する。他に、ロマネスク様式の聖イジー教会、旧王宮、中世の牢獄ダリボルカ塔など見どころは世界中の王宮の中でも一番豊富。

城の西側には、六二二二個のダイヤが嵌め込まれた聖体顕示台があるロレッタ教会や、図書館が圧巻のストラホフ修道院があり、知る人ぞ知るプラハの穴場になっている。

ムーハ(ミュシャ)の装飾がみごとな市公会堂

プラハはアールヌーボーの宝庫

聖ヴィート大聖堂のステンドグラス

聖ヴィート大聖堂はゴシック建築の代表

みごとなフレスコ画で飾られた赤い屋根の家々が立ち並ぶ!

75 チェコ 文化

チェスキー・クルムロフ歴史地区

交　通　プラハから列車で2時間20分、チェスケ・ブジェヨビツェ下車バス50分
登録名　Historic Centre of Český Krumlov

石畳が敷き詰められ、フレスコ画で飾られた赤い屋根の家々が立ち並ぶ旧市街を、ヴルタヴァ川が囲むように大きく蛇行して流れる南ボヘミアの珠玉のような町。プラハからリンツを経由してウィーンへの途中にあるので、他を一泊削ってでも寄ってみたい町だ。

旧市街の中心にあるスヴォルノスティ広場には、屋根が急傾斜した聖ヴィート教会が聳え、防御塔や木造のラゼブニツキー橋も見もの。フレスコ画のみごとな家は城への途中のラトラーン通りに多い。

旧市街の対岸の断崖上には十三世紀創建のチェスキー・クルムロフ城が聳え立つ。城入口の、時計がついたカラフルで美しい円形の塔は一二五七年の創建。一六〇段の階段を登った上にある回廊からはヴルタヴァ川と旧市街が一望できる。城は五つの中庭、四〇の建物からなる壮大なもので、石造りの四段式アーチ橋のプラーチョヴィー橋を渡ると、広大な城庭に出る。この町はエゴン・シーレの故郷だが、彼は描いた妊婦の絵が原因で町から追放されている。宿泊するなら、もとイエズス会学校寮のホテル・ルージェがいい。

石畳の路地の向こうに城の円形の塔が

チェスキー・クルムロフ城からの対岸の旧市街

おもちゃのようなかわいい街並みと壮大な城

広大な城庭園へ渡るプラーチョヴィー橋

昼よりも夜に訪れたい〝ドナウの真珠〟

76 ハンガリー 文化

ブダペスト、ドナウ河岸、ブダ城地区、アンドラーシ通り

交通 ウィーンから列車で3時間
登録名 Budapest, including the Banks of Danube, the Buda Castle Quarter and Andrássy Avenue

一八四九年、ドナウにかかる「くさり橋」の開通で、右岸（西岸）の城下町ブダと左岸の商都ペスト（かまどの意）は合併し、ブダペストとなった。ドナウ川沿いにはリンツ、ウィーン、ブラチスラヴァ、ベオグラードなどの都市があるが、都市のど真ん中をドナウが貫くのはブダペストだけである。

両岸には十九世紀の面影を残す壮麗な建築物も立ち並び、夜はライトアップされて昼よりも美しい。〝ドナウの真珠〟〝ドナウのバラ〟と讃えられる所以である。

世界遺産の大半は、ブダの城壁に囲まれた高さ六〇メートルの王宮の丘にある。マジャール人の王が十三世紀に築いた王宮の北の、高さ八〇メートルの尖塔が聳え立つマーチャシュ教会は十三世紀半ば創建のネオゴシック様式の建物で、色モザイクの屋根の美しさと装飾の繊細さで知られている。

隣接する白い円錐塔群とそれらをつなぐ長い回廊からなるネオロマネスク様式の砦が漁夫の砦。王宮城壁の一部で、ドナウの漁夫組合が守っていたことからこの名がつけられた。眼下のドナウと対岸のペスト地区の眺めがすば

くさり橋の夜景

アールヌーボー建築の地学研究所

ゲレールトの丘からのドナウ

宮殿のような国会議事堂

らしい。特に河畔に立つ長さ二六八メートル、高さ九六メートルのネオゴシック様式の国会議事堂はドームと無数の尖塔が林立し、壮麗。まるで巨大な宮殿のようで、夜にイルミネーションに彩られた姿がドナウの川面に浮かぶ光景が美しい。

ブダペストは市内一〇〇か所から湯が湧く温泉都市で、トルコ占領時代からの共同浴場も多い。その一つ、ルダーシュ温泉は一五六六年の建造で、ドームの天井にちりばめられた月や星の形のステンドグラスからさし込む光が幻想的だ。

他にもゲレルトやラーツ、キラーイ、ルカーチなど、ブダのドナウ川沿いには本格的なトルコ式浴場が多い。浴場によっては貸しフンドシやエプロン、水着で入浴する。ペストにもセーチェーニ温泉があり、温泉のハシゴも楽しい。

吊り橋のくさり橋を渡り、ペストに入るとエルジェベート橋との間に豪華なシャンデリアが下がるコンサートホールのヴィガドーがある。また、正面には初代ハンガリー王を祀る聖イシュトヴァーン大聖堂が、メインストリートのアンドラーシ通りには国立オペラ座がある。あまり知られていないが、マルギット橋を渡る市電の車窓から眺める両岸の夜景の美しさは格別である。シャンデリアが下がるカフェ・ニューヨークは十九世紀末のブダペストの繁栄を物語る世界に二つとない豪華絢爛な名物カフェ。ヴルシュマルティ広場の伝統カフェ、ジェルボーとともにぜひ寄ってみたい。

ヴルシュマルティ広場にある老舗の洋菓子喫茶ジェルボー

土産にいいヘレンド磁器のインドの華シリーズ

階段状に続く一六の湖とそれをつなぐ九二の滝

77 クロアチア 自然

プリトヴィチェ湖群国立公園

交　通　ザグレブからバスで3時間
登録名　Plitvice Lakes National Park

クマやオオカミ、ワシミミズクなどが棲む広葉樹林を縫って流れるプリトヴィチェ川は八キロの間に、標高差が四八九メートルもある、階段状の湖を一六も造り、青緑色の湖と湖をつなぐ流れは九二もの滝をなしている。最後に湖に落ち込む滝は高さが七八メートルもあり壮観だ。

これは川の水に豊富に含まれた炭酸カルシウムが沈殿して、石灰華をつくり上げ、その石灰華が川の水をせき止めて、自然のダムを生み出しながら順に湖、洞窟、滝をつくり出したものだ。

オフリド湖、ブレッド湖、ボヒニ湖など旧ユーゴスラビアはヨーロッパで最も湖が美しい国として知られていた。その代表がプリトヴィチェ湖で、湖をめぐるハイキングコースや路線バス、定期船などがある。

階段状に連なる透明な湖群

アドリア海に臨む〝宝石〟と呼ばれた城壁都市

78 クロアチア 文化

ドゥブロヴニク旧市街

交　通　リエカからバスで12時間、船で22時間
登録名　Old City of Dubrovnik

紺碧のアドリア海に臨む断崖絶壁の小島に、赤いレンガ屋根と、大理石の城壁が中世のまま残る町。本土との間の水路は埋め立てられ、現在の、すり減ってツルツル光る白い石畳道のメインストリート、プラツァになった。

八～十六世紀に築かれた高さ二五メートル、幅四～六メートル、周囲約二キロの城壁は銃眼付きで、塔のある四つの要塞、いくつもの堡塁が立ち並び堅固そのもの。城壁の上を一周することができ、赤いレンガ屋根の旧市街が一望できる。城壁の北側は断崖に築かれ、足下は透き通った海だ。

十六～十七世紀には海上交易の中心としてヴェネツィアと並び称されるほどの繁栄を極め、〝アドリア海の宝石〟〝アドリア海の真珠〟と呼ばれた。大聖堂やスポンツァ宮殿、聖ブラホ教会、司教宮殿、ドミニカ修道院、聖イヴアン砦、ルザ広場、ピレ門などゴシック、バロック、ルネサンス様式の宮殿や教会、噴水が多く残っている。

南のマケドニアや空港へ向かうバス道路、スルディ山山頂から、城壁に囲まれた町が海に浮かぶ、旧市街の全景を見ることができる。

アドリア海の宝石といわれる所以だ

こんな青く澄んだ海と城壁に囲まれた旧市街が面する街は他にない。

空港行きバス車窓からの旧市街

夜のメインストリート、プラツァ

旧市街は海と城壁で2重に防御

スルディ山からは海と城壁に囲まれた旧市街の様子がよくわかる

ドラキュラゆかりのトランシルバニアの古都

79 ルーマニア 文化

シギショアラ歴史地区

交　通　ブカレストから列車で4時間30分のシギショアラ駅から徒歩15分
登録名　Historic Centre of Sighişoara

中世にはトランシルバニア地方の中心として栄え、市街中央の、標高四二五メートルの小高い丘の上に城壁に囲まれ、塔が林立する十四〜十七世紀の旧市街が残っている。

九つの塔と二つの広場、四つの教会、一〇〇軒ほどの民家からなり、中世の都市の規模を今日までそのまま残しているのはヨーロッパでもあまり例がない。十四世紀建造の時計塔は旧市街入口の城門の一つで、下は通り抜けの通路に。

塔上からは中世の家並みの、赤い瓦屋根が折り重なるように連なるのが一望できる。

ドラキュラの家はドラキュラのモデルといわれるブラド串刺し公の生家と伝えられている。長い木造の屋根付き階段が山上のベルク教会まで続いている。

塔が林立する丘の上の旧市街。左が時計塔

絶景の中に立つブルガリア最古最大の修道院

80 ブルガリア 文化

リラ修道院

交　通　ソフィアからバスで3時間
登録名　Rila Monastery

ソフィアの南六〇キロ、雪を頂くリラ山中腹の標高一一四七メートル、日本でいえば上高地といった絶景の中に立つブルガリア最古最大の修道院。十世紀に修道僧リルスキによって建立され、歴代君主や貴族の寄進によって中世ブルガリア文化と芸術を伝えてきた。十四〜十九世紀のトルコ支配下でも、固有の文化を守る唯一の拠点としてブルガリア正教の信仰の中心であった。

外観はまるで要塞を思わせ、木造三〜四階建ての外陣は三〇〇人余りの修道僧たちの居室になっていた。中央の聖母誕生教会は五つのビザンチン式ドームの屋根を持ち、白と黒の横縞アーチが美しい。回廊は壁も天井も絢爛豪華な極彩色のフレスコ画で埋め尽くされている。

博物館には修道僧が一二年かけ、一四〇もの聖書の場面を刻んだ長さ五〇センチのラファエルの十字架があり、一五〇〇人の米粒大の人物像は一人ひとり表情が異なっている。

ソフィアからは路線バスの他に日帰りツアーバスもある。また、列車で修道院近くのコチェリノボまで行ける。

聖母誕生教会の回廊は天井も壁も極彩色のフレスコ画で埋め尽くされている

リラ山を望む教会は周囲を僧房だった3、4階建ての外陣で囲まれている

林立する奇岩と、迷路のような巨大な地下都市

81 トルコ 複合

ギョレメ国立公園とカッパドキアの岩窟群

交　通　アンカラからバスで5時間
登録名　Göreme National Park and the Rock Sites of Cappadocia

　トルコ・アナトリア高原中央の標高一〇〇〇メートルを超えるところに位置するカッパドキアには、周囲数十キロにわたって無数の巨大な奇岩が林立している。これは太古の火山の噴火によって、柔らかい火山灰や溶岩が堆積してできた凝灰岩が、長年の風雨の浸食により固い部分だけが残ったものである。灰色、赤、黄、ピンク、白とカラフルなキノコやタケノコ状の奇岩が、見渡す限り果てしなく続いている。

　ローマの弾圧を逃れた隠れキリシタンたちはこの奇岩地帯に移り住み、岩の中や地下に聖堂や教会を造った。その後イスラムの侵攻で避難したキリスト教徒たちは、各所に大小三〇〇もの地下都市を建設し、一〇万人もの人々が住んでいたという。

　カイマクルの地下都市は地下八階の巨大なもので、垂直の空気孔から迷路のような階段と通路が延び、アリの巣のように無数の部屋がある。共同のトイレや台所が設けられ、集会場や墓所まである巨大な共同体だ。地上も地下も他に例を見ない奇観を呈している。

高原に色とりどりのキノコやタケノコ状の奇岩が立ち並ぶ

82 トルコ 文化

イスタンブール歴史地区

交　通　国際空港から地下鉄30分+市電10分のスルタンアフメット下車
登録名　Historic Areas of Istanbul

二大陸と二大宗教にまたがる世界唯一の都市

ボスポラス海峡を挟んでヨーロッパとアジアの両大陸にまたがる世界唯一の都市。キリスト教（ギリシャ正教）の東ローマ帝国、ビザンチン帝国の都コンスタンティノープルからイスラム教のオスマン・トルコの都イスタンブールへと名を変えた、世界の二大宗教にまたがる都市でもある。

南北に細長く延びるボスポラス海峡の西がヨーロッパ側で、三方を海に囲まれた旧市街と金角湾を隔てて北に広がる新市街に分かれる。海峡東側の対岸がアジア側のウシュクダルである。

世界遺産はすべて約六・七キロの三重のテオドシウス二世の城壁で囲まれた城塞都市であった旧市街に集中している。

六世紀建造のアヤ・ソフィヤは歴代ビザンチン皇帝の戴冠式が行なわれたギリシャ正教の大本山であったが、十五世紀のオスマン・トルコ時代になるとミナレット（尖塔）が立つモスクに改築され、ビザンチン美術の華、金地のモザイク画も漆喰で塗りつぶされた。

発見され、修復されたのは二十世紀のことだ。現在は二大宗教の本山とし

ブルーモスクと水売りの男

トプカプ宮殿のハーレム

ての歴史を物語る博物館になっている。
その裏の市最古の聖堂の一つ、アヤイリニ教会の北が、ボスポラス海峡を一望するトプカプ宮殿で、オスマン・トルコ歴代スルタンの居城である。ため息が出る財宝の数々と装飾タイルが美しい、男子禁制のハーレムは必見。
スルタン・アフメット・モスクは、内部が二万枚以上の青を基調としたイズニックタイルで装飾されていることから、〝ブルーモスク〟と呼ばれている。六本ものミナレットは〝黄金〟と〝六〟の発音が似ていて、「黄金のミナレットを建てよ」という王の命令を聞き間違えたためといわれている。
隣接するヒポドローム（アト・メイダ

ヌ）はビザンチン時代の戦車（二輪馬車）の競技場跡で、エジプトのカルナック神殿から移されたオベリスクが立っている。
　グランドバザールはオスマン時代から続く中近東最大といわれる屋内市場で、二十数か所の出入口があり、無数の通路に絨毯や貴金属の店など四〇〇〇軒以上の小さな店がギッシリ並んでいる。隣りに市最古のベヤジット・モスクがある。スルタン・スレイマン一世・モスクはステンドグラスが美しい巨大なモスクとして知られる。
　ヴァレンス水道橋は四世紀にできた二層アーチの水道橋で、かつては六世紀に造られた貯水池〝地下宮殿〟まで水を供給していたという。ゼイレク・モスクやカーリエモスク（博物館）も必見だ。

旧市街のスルタン・アフメットを走る市電とアヤ・ソフィア

世界で最も美しいパルテノン神殿が聳える〝神域〟

83 ギリシャ 文化

アテネのアクロポリス

交　通　地下鉄アクロポリス駅から徒歩10分
登録名　Acropolis, Athens

アクロポリスはアテネのどこからでも見える地上七〇メートルの白い石灰岩の岩山。三方が絶壁で、戦時には砦の役割を果たした。

丘の中央に立つパルテノン神殿は、紀元前四三二年に完成した高さ一〇メートル、直径二メートルの薄桃色を帯びた四六本の白大理石石柱が立ち並ぶ、世界で最も美しいといわれる建造物。

遠くから見た時まっすぐに見えるように、柱の中ほどがわずかにふくらんだドーリア式円柱の神殿で、都市国家（ポリス）時代の神域である。

西側のプーレの門から入り、階段を登るとアテネ市街が一望できる。アテネ・ニケ神殿は翼を切り落とされた勝利のアテネ像のあるイオニア式小堂。神域入口の堂々たる前門（プロピュレイア）をくぐるとパルテノン神殿が現われる。隣接して、六体の乙女像の列柱が立つイオニア式のエレクティオン神殿、パルテノンの浮彫『サンダルを脱ぐニケ』などアクロポリスの発掘物を展示したアクロポリス博物館がある。麓にはギリシャ最古のディオニソス劇場やイロド・アテティコス音楽堂がある。

右上がパルテノン神殿が聳え立つアクロポリスの丘

リカヴィトスの丘からは白いアテネ市街が一望。

84 タリン歴史地区 エストニア 文化

交通　ヘルシンキからフェリーで一時間三〇分
登録名　The Historic Centre《Old Town》of Tallinn

タリン旧市街はハンザ同盟都市として栄えた時に、ドイツ商人が築いた商人町の「下町」と、十三世紀にデンマーク騎士団が築いたトーンペア城が聳え、塔が林立する城壁で囲まれた丘の上の「山の手」からなる。

下町には〝トーマスおじいさん〟というタリンのシンボル像が先端に立つ旧市庁舎やニグレステ教会がある。山の手には〝のっぽのヘルマン〟という塔が聳えるトーンペア城や大聖堂、旧市街と海が一望できる展望台がある。

85 オフリド地域の自然遺産及び文化遺産 マケドニア 複合

交通　スコピエからバスで三時間一五分
登録名　Natural and Cultural Heritage of the Ohrid region

アルバニアとの国境にまたがる東西一五キロ、南北三〇キロ、深さ二九四メートルのオフリド湖は透明度が二〇メートルと世界屈指の澄んだ湖だ。湖の北東岸のオフリドは先史時代から人が住みはじめたヨーロッパ最古の町の一つ。

十一〜十四世紀に描かれた八〇〇以上のビザンチン式イコン（聖画）は、世界で最も重要なコレクションだ。

崖の上に立つ聖カネオ教会や聖ナウム修道院などの内部を飾るフレスコ画もすばらしい。

豪華絢爛なエルミタージュ美術館を擁する〝水の都〟

86 ロシア 文化

サンクト・ペテルブルク歴史地区

交　通　モスクワから列車で４時間30分
登録名　Historic Centre of Saint Petersburg and Related Groups of Monuments

サンクト・ペテルブルクはピョートル大帝がロシア近代化のため、一七〇三年にネヴァ川河口に建設したロマノフ王朝二〇〇年の都。縦横に巡らせた運河によってできた四二の島を四〇〇以上の橋で結んだ水の都で、〝北のヴェネツィア〟と呼ばれる。運河べりには十八〜十九世紀の壮麗なバロック、ネオクラシックの石造建築が立ち並び、市民は世界一美しい町と自慢する。

ネヴァ河畔のピョートルの小屋は、町を建設中に大帝が暮らしていたところ。対岸に夏の宮殿が完成するとそこに移った。女帝エカテリーナ二世の頃、華麗な宮廷文化が花開き、歴代皇帝の宮殿であったネヴァ河畔の冬宮はその舞台になった。

冬宮は現在、世界屈指のエルミタージュ美術館となり、二階の「謁見の間」への「大使の階段」や「黄金の間」、「孔雀の間」などに、三〇〇万点もの美術品が収蔵されている。

宮殿広場側の向かいは凱旋アーチのある旧参謀本部で、川沿いの両隣りには金色の尖塔が立つアドミラリティ（旧海軍省）と大帝の青銅の騎士像、世

冬宮の「謁見の間」へ続く「大使の階段」　ネギ坊主のスパース・ナ・クラヴィ聖堂

左からエルミタージュ（冬宮）、イサク寺院、アドミラリティの金色の尖塔

ネヴァ川に臨む、世界有数の美術館エルミタージュ（冬宮）

界最大級のイサク寺院がある。対岸には高さ一二二メートルの尖塔が聳えるペトロパヴロフスク要塞があり、大帝はここに眠る。

メインストリートのネフスキー大通りから左折した運河べりには、極彩色のスパース・ナ・クラヴィ聖堂が立ち、ヨーロッパにはない色使いがロシアを感じさせる。

その他、ピョートル大帝が建造し、チャイコフスキー、ドストエフスキーらが眠るアレクサンドル・ネフスキー修道院やエカテリーナ二世が造ったロシア最古の女学院で、ロシア革命時に本部が置かれたスモーリヌイ修道院の付属学院（現市庁舎）、カザン聖堂、マリンスキー劇場など、市内の見どころの多くが世界遺産に登録されている。郊外にはエカテリーナ宮殿がある。

ヨーロッパ
――その他のお勧め世界遺産

←コルドバ歴史地区(スペイン)
10世紀から300年間、イスラム王国の首都として栄えた。当時は人口50万の欧州最大級の都市で、"西方の真珠"と讃えられた。メスキータは南北180m、東西130mの世界第2の規模のモスク。近くの花の小路も美しい。

→シエナ歴史地区(イタリア)
ルネサンス期にフィレンツェと覇を競ったトスカーナの古都。3つの丘にまたがっているため、城壁に囲まれた旧市街は石畳の坂道や石段が多く、絵画的な美しさで知られる。

←アッシジ、聖フランチェスコ聖堂と関連遺跡(イタリア)
2階建てのユニーク構造の聖フランチェスコ聖堂の門前町で城壁で囲まれた旧市街は石畳の坂道と狭い路地が続く。

他にペルデュ山、メテオラ、セゴヴィア、シントラ、バンスカー・シュティアヴニツア、マラムレシュ地方の木造教会群、クレムリンと赤の広場、パムッカレもお勧め。

←サンジミニャーノ歴史地区(イタリア)
12世紀に貴族たちが砦として、また富と権力の象徴として競って建てた72もの塔のうち、高さ50mほどの塔が城壁に囲まれた旧市街に14も残り、林立する様は壮観。

→ラヴェンナの初期キリスト教建築物群(イタリア)
かつては西ローマ帝国の都で、6世紀にビザンチン帝国の支配下に入ってからは石片を埋めて造るラヴェンナ独特のモザイク美術がこの地に花を咲かせた。

←ウエストミンスター宮殿、大寺院、聖マーガレット教会(イギリス)
テムズ川に面して高さ96mの時計塔ビッグベンが聳えるネオゴシックの国会議事堂は11～16世紀にはウエストミンスター宮殿として英国王の居城に。

→ザルツブルク市街の歴史地区(オーストリア)
9世紀から1200年もの間、大司教が統治するカトリックの都で"北のローマ"。旧市街を見下ろすように大司教の居城ホーエンザルツブルク城が聳え立つ。

←アウシュビッツ・ビルケナウ・ナチスドイツ強制絶滅収容所（ポーランド）
クラクフの西54kmにある、第2次大戦時のナチスドイツ最大の強制収容所跡。ユダヤ人など29カ国400万人が虐殺された悲劇の地。

→スピシュスキー城（スロヴァキア）
小山の頂上に聳え立つ13～17世紀建造の中欧最大級の大要塞の遺跡。城壁の外に果てしなく広がる丘陵の眺めがすばらしい。

←ホーロッケの古村落とその周辺地区（ハンガリー）
ブダペスト東北の山あいにある村。赤、青の花模様の刺繍がついた黒い民俗衣装姿のパロック人という、少数民族が住む。

→モルドヴァ地方の教会群（ルーマニア）
ヴコヴィナ地方には内外壁とも聖書の一場面やトルコとの戦いを題材にした極彩色のフレスコ画で埋め尽くされている修道院が散在している。

4 南北アメリカ

カナダ
87
88
89
90
アメリカ合衆国
92
91
ハワイ
93
メキシコ
BAHAMAS
CUBA
99
BELIZE
JAMAICA
HONDURAS
GUATEMALA
NICARAGUA
EL SALVADOR
VENEZUELA
PANAMA
ベネズエラ
100
GUIANA
GUYANA
(FRA)
COLOMBIA
SURINAME
エクアドル
95
ペルー
ブラジル
97
98
BOLIVIA
PARAGUAY
チリ
94
96
URUGUAY
アルゼンチン

広大な森と湖が織りなす〝自然美〟の極致

87 カナダ（ブリティッシュ・コロンビア州、アルバータ州）自然

カナディアン・ロッキー山脈自然公園群

交　通　カルガリーからバンフまでバスで1時間45分
登録名　Canadian Rocky Mountain Parks

北米大陸を南北に延びるロッキー山脈は、北へ行くほど険しさと美しさを増す。ブリティッシュ・コロンビア、アルバータ二州にまたがるカナディアン・ロッキーはその白眉で、バンフ、ジャスパー、ヨーホー、クートネーの四つの国立公園と三つの州立公園からなる二・四万平方キロの広大なエリア（四国より広い）が世界遺産に登録されている。

氷河の浸食でできた万年雪を抱く荒削りな峰々とターコイズブルーの湖沼群、広大な針葉樹林が続き、アルプスに劣らぬ雄大さと美しさで知られる。

中心のバンフ国立公園は世界で三番目にできた国立公園。森の中に立つ城館のようなバンフ・スプリングス・ホテルは、氷河を抱くヴィクトリア山（三四六四メートル）を背景にしたエメラルド色のルイーズ湖畔にあるシャトー・レイク・ルイーズとともに絶大な人気がある。

アッパーホットスプリングスは四〇度の硫黄泉で、バンフの山や森を眺めながら温泉を楽しめる。

湖はモレーン湖が名高いが、ヨーホー国立公園にもエメラルド湖や日本の

シャトー・レイク・ルイーズの庭園から続くルイーズ湖とヴィクトリア山

バンフアベニューとカスケード山(2998m)

湖のように澄んだオハラ湖など、秘湖がひっそりとたたずむ。
　雪上車で探勝できる、厚さ一キロのコロンビア大氷原を経て北へ向かうとジャスパー国立公園で、スピリットアイランドが浮かぶブルーのマリーン湖がある。カナディアン・ロッキーを横断する列車からも、ジャスパーの絶景を眺められる。

森の中の巨大な城館のようなバンフ・スプリングス・ホテル

ジャスパーへのカナディアン号ドーム車両からはカナディアン・ロッキーの絶景が眺められる

峰々を眺めながら入れるアッパーホットスプリングスの露天風呂

ジャスパー国立公園の華、マリーン湖

コロンビア大氷原は雪上車で探勝できる

88 カナダ（ケベック州）文化

ケベック歴史地区

交　通　モントリオールからVIA鉄道で3時間、ケベック・パレ駅下車
登録名　Historic District of Old Québec

崖上に築かれた北米唯一の城壁都市

ケベックはセントローレンス川の川幅が七〇〇メートルと最も狭くなった崖上に築かれた北米唯一の城壁都市。ケベックとはインディアン語で〝幅が狭くなったところ〟を意味する。人口の九〇パーセント以上がフランス系でフランス語を話す。今では本国では使われなくなった古語も残る本国よりもフランスらしいフランス文化の心の故郷。観光関係者以外には英語は通じにくい。

崖上の城壁で囲まれたアッパータウンの川沿いに、長く延びる板張りの遊歩道がテラス・デュフランで、セントローレンス川と対岸の眺めがすばらしい。テラスに面して聳え立つ巨大な城のようなホテル、フェアモント・シャトー・フロントナックは市のランドマークである。

ステンドグラスが美しいノートルダム大聖堂への途中のトレゾール通りはパリ・モンマルトルに似た一角で、似顔絵描きもいる。シタデルは英軍が建設した星形の城塞で夏は赤い制服の衛兵交代が行なわれる。ケーブルカーでロウアータウンに降りると、石畳のロワイヤル広場。街の発祥地で一角に勝利のノートルダム教会が立つ。プチ・シャンプラン通りは北米最古の繁華街。

似顔絵描きが多いトレゾール通り

金の装飾もすばらしいノートルダム大聖堂

テラス・デュフランとセントローレンス川

まさに城館のようなホテル、シャトー・フロントナックは市のシンボル

すてきな出窓や屋根窓で飾られた独特の民家

89 カナダ（ノヴァ・スコシア州）文化

ルーネンバーグ旧市街

交　通　ハリファックスからバスで１時間30分
登録名　Old Town Lunenburg

ハリファックス近郊のリアス式海岸に一七四九年、ドイツのプロテスタント入植者たちが築き、タラ漁と造船で栄えた港町。港に面した骨太の木造家屋は船大工たちが建てたもので造船の残りの鉄材を家の装飾に使っている。

土地が狭く山が迫るため、背後の坂道には一七五四年建造のセント・ジョン聖堂、今も使われているドイツ風建築の学校、ルーネンバーグアカデミーやルーネンバーグ・バンプと呼ぶ独特な屋根窓のカラフルな民家が軒を連ねている。風見鶏がタラなのはタラ漁の街ならでは。

住民は世界遺産登録を誇りに思い、前には付けなくてもいい車のナンバープレートをわざわざ付けている。「世界遺産」と表示されたルーネンバーグの風景が描かれているためだ。

海に面した元魚工場を改装した木造のレストランでは、スケソウダラや真ダラなどの名物のタラ料理、ホタテ、スモーク・アトランティックサーモン、本国ドイツのよりは酸っぱくないザワークラウトなどが味わえる。途中の花崗岩の岩肌が続く美しい漁村ベギーズ・コーブにも寄りたい。

ルーネンバーグアカデミー

世界遺産のナンバープレート

タラ漁の町らしく風見鶏もタラ

独特の屋根ルーネンバーグ・バンプの家が 多い

色とりどりの木造建築が立ち並ぶ、対岸からのルーネンバーグの全景

世界初の国立公園は、世界最大の〝温泉地帯〟

90 アメリカ合衆国（ワイオミング州、アイダホ州、モンタナ州）自然

イエローストーン国立公園

交　通　ソルトレークシティからウエスト・イエローストーンまで空路で1時間30分
登録名　Yellowstone National Park

　ロッキー山脈のほぼ中央、ワイオミング州北西部（一部はアイダホ、モンタナ州にまたがる）にある八九七九平方キロと、四国の半分もあるアメリカ最大の国立公園。一八七二年、世界で最初に生まれた国立公園でもある。「ミ・ツイ・アダジ」（黄色い岩の川）という先住民の言葉からイエローストーンと名づけられた。

　グランド・キャニオン、ヨセミテと並んで人気絶大の〝アメリカ三景〟の一つだが、交通がやや不便なので他の二つに比べて訪れる日本人は少ない。

　イエローストーンは高原に間欠泉、温泉池、石灰華、泥火山、噴気孔など、あらゆる温泉現象が一万も集中する世界最大の温泉地帯。間欠泉は三〇〇〇を数え、至るところで熱水を高く噴き上げていて壮観である。中でもオールド・フェイスフルが有名で、熱泉を忠実に六〇〜六七分間隔で、三二〜五六メートルの高さに二〜五分間噴き上げる。周囲に人垣ができはじめると噴出が近い。

　プールと呼ばれる透明なエメラルド色の温泉池も無数にあり、エメラルドプールは七五度の湯の中でも生き続ける青緑色の藻のせいで、このような鮮や

←オールド・フェイスフル　↑モーニング・グローリープール

かな色をしている。温泉の石灰分が階段状に重なる石灰華テラスのテラスマウンテンは、マンモスホットスプリングにある。温泉が流れる川、バイリングリバーもある。

イエローストーン湖から流れ出た緑色のイエローストーン川は、やがて四〇キロにわたって、高さ三〇〇メートル以上の大峡谷をなし、壮大なロウアー滝、アッパー滝となって落下する。ノースリムも壮観。付近は野生動物の宝庫で、バイソン（野牛）やハイイログマ、ヘラジカ、オオカミなどが生息している。

マンモス・カントリーのテラスマウンテン

白煙たなびくノリス・ガイサーベイスン

見る人のど胆を抜く四五〇キロ続く世界最大の峡谷

91 アメリカ合衆国（アリゾナ州）自然

グランド・キャニオン国立公園

交　通　フラグスタッフからバスで2時間
登録名　Grand Canyon National Park

ラスベガスから飛行機に乗ると、やがて大峡谷が姿を現わすが、どこまで飛んでも同じ光景が続くのにはど胆を抜かれる。長さは四五〇キロと東京～米原間ほどもあり、幅十数キロ、深さ一六〇〇メートルの「峡谷」が広がる。峡谷というともっと間が狭いイメージだが、ここでは果てしなく続く北の緑の大地と赤茶けた南の大地が、ともに六～三〇キロの幅で、急に垂直に落ち込んでいるのである。

一億年前の地殻変動で隆起した柔らかい砂岩と石灰岩を含む地表が、九〇〇万～一〇〇〇〇万年の間に、今は谷底を流れるコロラド川と風雨による浸食でできた、世界で最も壮大な峡谷だ。谷底は二〇億年前、地表は二億五〇〇〇年前の地層で、赤、こげ茶、紫、黄など岩層により異なる色がそのまま現われている、まさに地質学の青空教室。それが光の角度によって七色に変化し、日没時は特に神秘的だ。

観光の中心はサウス・リム（南壁）で、展望台へ行くシャトルバスが運行。ロバや徒歩で谷底まで下りられる。

いくつもの展望台があるサウス・リムからのグランド・キャニオンは圧巻

五〜六月が一番美しい氷河がつくった花崗岩のU字谷

92 アメリカ合衆国（カリフォルニア州）自然

ヨセミテ国立公園

交　通　サンフランシスコからバスで4時間+2時間30分（要乗り換え）
登録名　Yosemite National Park

シエラ・ネバダ山脈中央に氷河がつくった長さ一三キロ、深さ一〇〇〇メートルの花崗岩のU字谷が、先住民の言葉で〝灰色グマ〟を意味するヨセミテ。針葉樹の森と奇岩、奇峰、滝、湖からなり、五〜六月が一番美しい。

世界最大の花崗岩の一枚岩で高さ九一四メートルもあるエルキャピタンや、氷河に半分削り取られた円頂丘ハーフドーム、七三九メートルと世界有数の落差のヨセミテ滝、風で白い花嫁衣装のように舞うブライダルヴェイル滝、眼下に渓谷が一望できるグレーシャーポイントなどがある。

ヨセミテ谷の全景

世界最大の花崗岩の一枚岩エルキャピタン　氷河に半分削られたハーフドーム

落差739mと、世界有数のヨセミテ滝

93 アメリカ合衆国（ハワイ州） 自然
ハワイ火山国立公園

二つの火山から赤々と流れる溶岩が見もの！

交　通　ヒロからキラウエアまで路線バスで1時間またはツアー
登録名　Hawaii Volcanoes National Park

ハワイ島は四国の半分ほどの広さで、ハワイ諸島最大の島。標高四〇〇〇メートル級の高峰が二つも聳えている。もっとも、なだらかな盾状の山容なので富士山よりも高いとはとても思えない。

そのうちの一つマウナロア（四一六九メートル）とキラウエア（一二四三メートル）の両火山が国立公園内にあり、世界遺産に登録されている。

マウナロアは水深五五〇〇メートルの海底から聳えているので、実際には一万メートル近い高峰だ。

登山は困難なので、マウナロアをうかがい知るには、双子のようなマウナケア（四二〇六メートル）頂上まで登り、夕景と世界一の星空を観測するバスツアーに参加するといい。

キラウエアは世界で最も火山活動が活発な火山の一つで、直径四・五キロ、深さ一三〇メートルの世界最大の火口を持つ。

一九五九年には五七九メートルの上空まで噴煙を上げ、世界で目撃された最大の噴火といわれている。一九九〇年にも一つの村をのみ込むほどの大噴火を起

プウ・オオ火口から流れ出た溶岩が太平洋の荒波に削られてできたシーアーチ

日没時のマウナケア山頂に並ぶ各国の天文台。絶景だが、高山病に注意

こしたが、粘性の低いドロドロした溶岩なので危険性は少ない。

今最も活動が激しいのはキラウエアの東一五キロのプウ・オオ火口で、海に面した溶岩原を走るチェイン・オブ・クレーター道路は壮観。

赤々と流れる溶岩を見るツアーもある。

チェイン・オブ・クレーター道路脇の溶岩原

94 ブラジル/アルゼンチン 自然

イグアス国立公園

交通　フォス・ド・イグアス(ブラジル)からバスで40分
登録名　Iguaçu National Park

ナイアガラも小さく見える!?　世界最大の滝

二〇〇〇種もの植物が茂る亜熱帯雨林に囲まれた玄武岩の崖を、水煙をあげて落ち込む幅二・七キロ、最大落差八〇メートルの世界最大級の滝がある。そこはブラジルとアルゼンチン、パラグアイの三国の国境が接する地点だ。

滝は一つではなく、恐ろしいほどの迫力がある最奥部の「悪魔ののど笛」をはじめとして二七五ある。毎秒六・五万トンもの水量は二〇キロ先からも轟音が聞こえるほど。イグアスとは現地のグアラニー族の言葉で〝膨大なる水〟を意味する。付近はジャガーなど、動植物の宝庫でもある。

275の滝が集合して世界最大の滝に

「進化論」を生んだ赤道直下の火山島

95

エクアドル 自然

ガラパゴス諸島

交　通　キトから空路2時間15分、日帰りボートツアーかクルーズツアー(3泊～)で
登録名　Galápagos Islands

エクアドル本土から九六〇キロ離れた赤道直下の太平洋に浮かぶ、大小六〇近くの島々で、一〇〇万～五〇〇〇万年前に海底火山の噴火でできた。島を訪れた英国の博物学者チャールズ・ダーウィンは、島の生物が独自の進化をとげているのを観察し、進化論を唱えて一八五九年に『種の起源』を著した。外界と隔絶していたため、動植物の大半が固有種で、島ごとに独自の進化過程をたどった亜種が多い。

島の名前ともなったガラパゴスゾウガメは現存する世界最古の爬虫類で、大きいものは一・三メートル、三〇〇キロにも達する。一一亜種がいて、島ごとに甲羅が異なる。

体長一メートル以上もあるウミイグアナは海に潜って海藻を食べる変わり種で、泳ぎやすいように爪がなく、尻尾は平たい。ガラパゴスペンギンは赤道直下で生息する唯一のペンギンである。

その他、リクイグアナや喉袋がまっ赤なオオグンカンドリ、青い脚をしたアオアシカツオドリ、ガラパゴスアシカなどが生息する。

島の名の由来にもなった巨大なゾウガメ

ウミイグアナは顔は怖いが おとなしい

絶海の孤島に立ち並ぶ巨大なモアイ像

96 チリ 文化

ラパ・ヌイ国立公園

交　通　サンチャゴ、パペーテ（タヒチ）から空路で5時間
登録名　Rapa Nui National Park

チリのサンチャゴからもタヒチからも約四〇〇〇《キロ》、ほぼ中間に位置する南太平洋上の絶海の孤島ラパ・ヌイ（大きな島）はイースター島の名の方で有名かもしれない。

島の海岸沿いには高さ五～一〇《メートル》の手足のない石の巨像モアイが海を背に立っている。ポリネシア系の住民が先祖崇拝と村の守り神として島に三〇〇か所ある祭壇アフに建てたものといわれ、十～十六世紀に重さ四〇～九〇《トン》もある巨大な石像が造られた。ラノ・ララクには造りかけのモアイ三〇〇余が放置されている。

並び立つモアイ像

島を守るように立つモアイ像

インカの石工技術が残る謎に包まれた〝空中都市〟

97 ペルー 複合

マチュ・ピチュ

交　通　クスコから列車で4時間、マチュピチュ駅下車、バスで30分
登録名　Historic Sanctuary of Machu Picchu

標高差が六〇〇メートル以上もあるつづら折れの坂道をバスで登りつめると、標高二四三〇メートルの深山幽谷の山頂に突然、マチュ・ピチュ（老いたる峰）の遺跡は現われる。断崖絶壁をなす急斜面の尾根の上に造られていて、下からは見えず、一九一一年まで発見されることはなかった幻の〝空中都市〟だ。

狭い石畳道の市街には聖なる広場を中心に王女の宮殿、三つの窓の神殿や美しくカーブした馬蹄形の高塔、邸宅、住宅、倉庫、墓地などが並ぶ。すべて花崗岩の切り石を組み合わせたもので、石組みの壁にはカミソリの刃一枚入らないほど隙間がない。この石工技術は現在の技術すら凌ぐもので、地震でも崩れないほど。

灌漑設備は優に一〇〇〇人は養える規模だという。市街東には山の頂きに迫る段々畑が続き、自給自足できた。スペインに滅ぼされたインカ帝国の残党が落ちのびた先とか、アクリャ（太陽の処女）たちが仕える神域だったなどいろいろな説があるが、どのようにして、何のために、この山岳都市が築かれたのかはいまだ謎である。

石畳道の市街。絶壁断崖の斜面に張りつくように広がる

上空三〇〇メートルからしか見えない世界遺産

98 ペルー 文化

ナスカとフマナの地上絵

交　通　リマからバスで7時間
登録名　Lines and Geoglyphs of Nasca and Pampas de Jumana

海岸に近い海抜五〇〇メートルの台地に描かれた手、花、魚、鳥、などユーモラスな地上絵群。四五〇平方キロという広大な地域に直線、長方形、渦巻、幾何学模様など約三〇〇もの絵が、一定の方向に描かれ、どれも上空三〇〇メートル以上からしか見えないほど壮大。小さいものでも全長三〇メートル。最大のコンドルは一三五メートル、有名なハチドリの絵も一〇〇メートルだ。ナスカの人々が紀元前五〇〇～紀元五〇〇年に岩石砂漠の表面を覆う酸化した黒い小石を幅六〇センチ、深さ二〇センチにわたって取り除き、酸化していない白い石を露出させ描いた。

鳥に見えるが「手」と名付けられた地上絵

マヤ文明の高度な天文学・数学の結晶が残る場所

99 メキシコ 文化

チチェン・イツア

交　通　メリダからバスで2時間30分
登録名　Pre-Hispanic City of Chichen-Itza

マヤの建築技術とトルテカの彫刻装飾を融合させた十～十五世紀の壮大な遺跡でユカタン半島のジャングルの中にある。チチェンは井戸のほとり、イツアは水の魔術師の意で、中央に底辺五九メートル四方、高さ二四メートルのピラミッドがある。マヤは高度な天文学と数学の知識を持ち、カラコル（カタツムリ）と呼ぶ螺旋階段を登った天文台の最上階の三つの窓から覗くと、夏至・冬至の太陽の位置が常に一定していた。

　戦士の神殿には横臥して腹部の皿にいけにえの心臓をのせたチャックモールの石像がある。

戦士の神殿のチャックモールの石像

はるか一七億年前、地球最古の地層が！

赤道直下にあるギアナ高地のジャングルの中に、頂上が平らで岩盤をむき出しにした断崖絶壁のテーブルマウンテンが一〇〇余りも聳え立っている。標高はいずれも二〇〇〇〜二八〇〇メートルにも達する。風雨の浸食で硬い岩盤だけが台地状に残ったもので、一七億年前の先カンブリア時代の地球最古の地層だ。

100 ベネズエラ 自然
カナイマ国立公園

交　通　カラカスから空路で2時間
登録名　Canaima National Park

太古の昔に周囲から隔絶されたため、台地上の動植物は独自の進化をとげ、三〇〇〇種の固有種の植物が。ロライマ山には恐竜時代の生き残りのカエル、オレオフリネラが生息。

雨季には断崖が無数の滝となり壮観だ。

落差世界一（979m）のアンヘル滝

南北アメリカ
——その他のお勧め世界遺産

←キト市街(エクアドル)
標高2856mと、ラパスに次いで世界第2の高地にある首都。常春の地でインカ帝国の中心都市として栄えた。茶色い屋根の白壁の家並みが広がり、教会が点在する。

クスコ市街(ペルー)→
アンデス山中の標高3486mの高地にある、11～16世紀のインカ帝国の首都。今も当時の石壁、門、扉が残る。12角の石や郊外の城砦に往時の面影が。

←オリンピック国立公園(アメリカ)
シアトルの西にある。数十もの氷河が残る、標高2424mのオリンパス山西側は年間降水量が3000ミリを超し、世界唯一の針葉樹の雨林が広がっている。

これらの他にもメサヴェルデ、カールスバッド洞窟、ベリーズバリアリーフ、ウシュマル、ティカル、コパン、ワスカラン、ロス・グラシアレスもお勧め。

〔写真提供〕

かごしま遊楽館　P13
韓国観光公社　P22、23、24右、25上
中国国家観光局　P41、44、45、48
アセアンセンター観光部　P49
タイ国際航空　P51
ネパール大使館　P69、70
ウズベキスタン航空　P87、89、90、91上
イエメン共和国大使館・山上木実夫　P91下
ヨルダン大使館　P98
エジプト学・観光局　P102、104、105、107
モロッコ政府観光局　P109上
ジンバブエ大使館　P110
フランス政府観光局　P118
イタリア政府観光局　P128下
スペイン政府観光局　P141
クロアチア大使館　P182
アエロフロート・ロシア航空　P200、201
アメリカ西部5州政府観光局　P217、218
©Robert Holmes　P222
カリフォルニア州観光局　P223
ブラジル大使館　P227
エクアドル大使館　P229
チリ大使館　P230、231
ペルー大使館　P233、234、237中
メキシコ大使館観光部　P235
ベネズエラ大使館　P236

本書は、小社より刊行した『世界遺産 最新セレクション100』を、加筆・再編集のうえ、改題したものです。

いつか絶対《ぜったい》行《い》きたい世界《せかい》遺産《いさん》ベスト100

著者　小林克己（こばやし・かつみ）
発行者　押鐘太陽
発行所　株式会社三笠書房

〒102-0072 東京都千代田区飯田橋3-3-1
電話　03-5226-5734（営業部）03-5226-5731（編集部）
http://www.mikasashobo.co.jp

印刷　誠宏印刷
製本　宮田製本

ISBN978-4-8379-6441-4 C0126

王様文庫

王様文庫

世界地図の楽しみ方

ライフサイエンス

太平洋が「太」で、大西洋が「大」なのはなぜ？　北極と南極はどっちが寒い？　世界で最も高い木が生える場所はどこ？　黒いオーロラがあるのを知っている？　イスラムでは日没が一日の始まり!?　海、山、川、国、町、国境線……思わず地図に目をこらす、「不思議」ネタが満載！

【図解】世界の「三大」なんでも事典

世界の「ふしぎ雑学」研究会

なぜ、信者数5位の仏教が三大宗教に入る？　三大料理といえば、フランチに中華……あと一つは？——本書では、「世界の三大」にまつわるエピソード・裏話を図解で紹介。つい誰かに話したくなる「高級ネタ」が満載の本！

世界史の謎がおもしろいほどわかる本

「歴史ミステリー」倶楽部

聖書の中に隠された預言、テンプル騎士団の財宝の行方、ケネディ大統領暗殺事件、ストーンサークルなど、世界史の謎は尽きることがない。本書では、歴史的大事件の裏側や、謎の古代遺跡に隠された驚くべき真実に迫る。

K30108